U0003394

邱火榮

【北管藝術領航者】

contents 目次

生命的樂章 見證台灣戲曲音樂史

靈感的律動 北管藝術大師

創作的軌跡 音樂與生命緊密結合

【序文】

重建屬於文化與審美的公民社會

今日台灣社會建構已經不僅止於政治公民社會與經濟公民社會，更重要的是文化公民社會的落實，建立一種以文化藝術欣賞質能爲基礎的美學共同體。文化公民社會不只是訴求政府建設充足之文化藝術設施，也應該強調公民有參與、支持和維護文化藝術發展活動的責任感，從這個角度切入，重建一個屬於文化和審美的公民共同體社會。

文建會爲蒐集保存台灣地區珍貴民族音樂資產，彰顯台灣音樂文化特色，由國立傳統藝術中心民族音樂研究所承辦、委託時報出版編印「台灣音樂館—資深音樂家叢書」，這套叢書可說是台灣音樂界跨越時空長河，共同接力所連成的一頁台灣音樂史。每位傳主都是台灣音樂史一時之選，就連撰稿者也動員了現今台灣音樂界的菁英。

此套叢書從台灣本土音樂與文史發展的觀點切入，寫出人物的生命史、專業成就與音樂觀，並加入延伸資料與閱讀情趣的小專欄與豐富生動的圖片，透過圖文並茂的版式呈現，藉此帶領青年朋友及一般愛樂者，認識我們自己的音樂家，進而認識台灣近代音樂的發展。

「台灣音樂館—資深音樂家叢書」到今年已出版第四輯，累計整理了三十六位在台灣音樂史上深具貢獻與影響力的資深音樂工作者之故事，涵蓋了傳統與現

代的傳主生命歷程。而負責撰寫工作的音樂學者已逾三十餘人，這些學者涵蓋老、中、青三代，集體的成果反映了台灣音樂界在近代音樂史上的耕耘收穫，整合了不同時期的台灣音樂史料，成為研究者不可多得的參考書籍。

　　本套書籍的完成，要特別感謝主編趙琴博士與時報出版公司負責整理、完稿與印行，而受訪者及慷慨提供資料的音樂家親屬與友人，更是此叢書得以完成的重要關鍵，在此要特別給予感謝。出版印行是一個階段的完成，最終還是要回到閱讀者本身，細細品味每一段發人深省的時代精神，因此，這意味著讀者再生階段的來臨，唯有此階段獲得開展，重建屬於文化與審美的公民社會才有可能。

行政院文化建設委員會主任委員　

認識台灣音樂家

「民族音樂研究所」是行政院文化建設委員會「國立傳統藝術中心」的派出單位,肩負著各項民族音樂的調查、蒐集、研究、保存及展示、推廣等重責;並籌劃設置國內唯一的「民族音樂資料館」,建構具台灣特色之民族音樂資料庫,以成為台灣民族音樂專業保存及國際文化交流的重鎮。

為重視民族音樂文化資產之保存與推廣,特規劃辦理「台灣資深音樂工作者系列保存計畫」,以彰顯台灣音樂文化特色。在執行方式上,特邀聘學者專家,共同研擬、訂定本計畫之主題與保存對象;更秉持著審慎嚴謹的態度,用感性、活潑、淺近流暢的文字風格來介紹每位資深音樂工作者的生命史、音樂經歷與成就貢獻等,試圖以凸顯其獨到的音樂特色,不僅能讓年輕的讀者認識台灣音樂史上之瑰寶,同時亦能達到紀實保存珍貴民族音樂資產之使命。

對於撰寫「台灣音樂館—資深音樂家叢書」的每位作者,均考慮其對被保存者生平事蹟熟悉的親近度,或合宜者為優先,今邀得海內外一時之選的音樂家及相關學者分別為各資深音樂工作者執筆,易言之,本叢書之題材不僅是台灣音樂史之上選,同時各執筆者更是台灣音樂界之精英。希望藉由每一冊的呈現,能見證台灣民族音樂一路走來之點點滴滴,並為台灣音樂史上的這群貢獻者歌頌,將其辛苦所共同譜出的音符流傳予下一代,甚至散佈到國際間,以證實台灣民族音樂之美。

承蒙文建會陳主任委員其南以其專業的觀點與涵養,提供許多寶貴的意見,使得本計畫能更紮實。在此亦要特別感謝資深音樂傳播及民族音樂學者趙琴博士擔任本系列叢書的主編,及各音樂家們的鼎力協助。更感謝時報出版公司所有參與工作者的熱心配合,使本叢書能以精緻面貌呈現在讀者諸君面前。

國立傳統藝術中心主任 柯基良

聆聽台灣的天籟

音樂，是人類表達情感的媒介，也是珍貴的藝術結晶。台灣音樂因歷史、政治、文化的變遷與融合，於不同階段展現了獨特的時代風格，人們藉著民俗音樂、創作歌謠等各種形式傳達生活的感觸與情思，使台灣音樂成為反映當時人心民情與社會潮流的重要指標。許多音樂家的事蹟與作品，也在這樣的發展背景下，更蘊含著藉音樂詮釋時代的深刻意義與民族特色，成為歷史的見證與縮影。

在資深音樂家逐漸凋零之際，時報出版公司很榮幸能夠參與文建會「國立傳統藝術中心」民族音樂研究所策劃的「台灣音樂館—資深音樂家叢書」編製及出版工作。這三年來，在陳郁秀、陳其南兩位主委及柯基良主任的督導下，我們和趙琴主編及三十餘位學有專精的作者密切合作，不斷交換意見，以專訪音樂家本人為優先考量，若所欲保存的音樂家已過世，也一定要採訪到其遺孀、子女、朋友及學生，來補充資料的不足。我們發揮史學家傅斯年所謂「上窮碧落下黃泉，動手動腳找資料」的精神，盡可能蒐集珍貴的影像與文獻史料，在撰文上力求簡潔明暢，編排上講究美觀大方，希望以圖文並茂、可讀性高的精彩內容呈現給讀者。

「台灣音樂館—資深音樂家叢書」現階段一共整理了蕭滋等三十六位音樂家的故事，這些音樂家有些皆已作古，有不少人旅居國外，也有的人年事已高，使得保存工作更為困難，即使如此，現在動手做也比往後再做更容易。像張昊老師就是在參加了我們第一階段的新書發表會後，與世長辭，這使我們覺得責任更為重大。我們很慶幸能夠及時參與這個計畫，重新整理前輩音樂家的資料，讓人深深覺得這是全民共有的文化記憶，不容抹滅；而除了記錄編纂成書，更重要的是發行推廣，才能夠使這些資深音樂工作者的美妙天籟深入民間，成為所有台灣人民的永恆珍藏。

時報出版公司總編輯
「台灣音樂館—資深音樂家叢書」計畫主持人　林馨琴

台灣音樂見證史

今天的台灣，走過近百年來中國最富足的時期，但我們可曾記錄下音樂發展上的史實？本套叢書即是從人的角度出發，寫「人」也寫「史」，勾劃出二十世紀台灣的音樂發展。藝術萬變，史家的責任，就是記錄這些轉變，尤其是有別於歐洲音樂的我們自己的音樂。記錄重要音樂工作者的生命史的同時，也記錄、保存了台灣音樂走過的篳路藍縷來時路，出版「人」的傳記，亦可使「史」不至淪喪。

台灣音樂因歷史、政治、文化的變遷與融合，於不同階段展現了獨特的時代風格，人們藉著民俗音樂、創新作品等各種傳統與現代形式，傳達生活的感觸與情思，使台灣音樂成為反映當下人心民情與社會潮流的重要指標。二十世紀的台灣音樂，由於複雜的社會因素，走出「東與西」、「雅與俗」、「傳統與現代」等複雜態勢。許多音樂家的事蹟與作品，也在這樣的發展背景下，更蘊含著藉音樂詮釋時代的深刻意義與民族特色，成為歷史的見證與縮影。

這套已記錄台灣三十多位音樂家生命史的叢書，於本輯加入了台灣傳統音樂工作者的記錄在內。有別於前三輯傳主的，即呈現傳統音樂工作者完全不同的歷史場景和生存狀態，因此第四輯的六本傳記，讓我們同時閱讀了相同時空下的異樣而多元的音樂生活面向。本系列叢書雖是依據史學宗旨下筆，但卻不同於一般學術性的傳記書，因為閱讀的對象設定在包括青少年在內的一般普羅大眾，希望以自由、隨意、主觀的筆調，來掃描、透視具特點的部份，以生動、親切的筆調，講述前輩音樂家的人生故事。本叢書以編年史的順序方式，首先選介資深者，從台灣本土音樂與文史發展的觀點切入，寫主人翁的生命史、專業成就與音樂觀、性格特質；加以延伸資料與閱讀情趣的小專欄、豐富生動的圖片、活潑敘事的圖說和圖文並茂的版式呈現，真實的反映不同時代的人文情境，並整理各種

音樂紀實資料，希望能吸引住讀者的目光，重回久被西方佔領的同胞們的心靈空間。一個個不同的生活場景，一張張陌生又熟悉的人物照片，一頁頁手稿墨跡，呈現文字難以表達的意涵，這也是本叢書之另一特點。不僅以文字感受音樂歷史與音樂人的音樂生活，而是從歷史圖片中閱讀人物，閱讀歷史。

本叢書呈現了二十世紀台灣音樂所走過的路，這門持續在發展中的音樂藝術，面向二十一世紀將如何定位？西方音樂的流尚與激盪，歷一個世紀的操縱和影響，現時尚在持續中。我們對音樂最高境界的追求，是否已踏入成熟期或是還在起步的徬徨中？什麼是我們對世界音樂最有創造性和影響力的貢獻？願讀者諸君能以音樂的耳朵，聆聽台灣音樂人物傳記；也用音樂的眼睛，觀察並體悟音樂歷史。閱畢全書，希望音樂工作者與有心人能共同思考，如何在前人尚未努力過的方向上，繼續拓展！

在陳前主委和柯主任主持下，召開過數不清的會議，務期使得本叢書在諸位音樂委員的共同評鑑下，能以更圓滿的面貌與讀者朋友見面。在資深音樂家逐漸凋零之際，本系列叢書在各位作者密切合作下，或專訪音樂家本人，或採訪其家人、子女、朋友及學生，甚至飄洋過海，搜尋相關史料，來補充資料的不足。經過重整前輩音樂家的資料，更覺得這是全民共有的文化記憶，不容抹滅。

文化的融造，需要各方面的因素來撮合。很高興能參與本叢書的主編工作，謝謝諸位音樂家、作家的努力與配合，「時報出版」各位工作同仁豐富的專業經驗，與執著的能耐。讓這些資深音樂工作者行過的軌跡深入民間，讓全民共同保存這份文化記憶。深盼讀者諸君的支持、賜正！

「台灣音樂館—資深音樂家叢書」主編

【主編簡介】
美國加州大學洛杉磯校區民族音樂學哲學博士、舊金山加州州立大學音樂史碩士、師大音樂系聲樂學士。現任台大美育系列講座主講人、台北師院兼任教授、中華民國民族音樂學會理事、國台交諮詢委員、國立傳藝中心民音所諮詢委員以及中國廣播公司「音樂風」製作、主持人。

【前言】

一位了不起的大師

　　這是我最艱苦的一次寫作，不只是因為它涉及戲曲、史料、文字等專業，身兼傳主女兒及作者雙重身分，要對歷史負責，要能啟發讀者，這兩個靈魂何者該現何者該隱，甚至合作無間，這過程需要相當的定、明，我甚至藉由抄寫經文的方式伴隨著這本書的寫作。

　　在寫作的過程中，我重新翻閱研究所時代的學術論著及記者生涯的點滴記錄，往昔的訓練及功底，加上有過寫作傳記的經驗，照理說應該不成問題，但寫作之初，我還是忍不住問自己：「能客觀報導自己的父親嗎？能寫出讓人信服且有價值的傳史嗎？」在這個知識爆炸、出版浮濫的時代，很難達到春秋史家寧死不違史實的高標準，但看到官民合力建構屬於這個土地上的人物史實時，身為一個文字工作者的我，為了朝兼具客觀性、可讀性的寫作目標努力，已盡量避免以女兒的身分或觀點做敘述。

　　這樣的寫作態度一方面符合叢書的整體規畫，另方面給我一個對父親的新觀察與思考；其實，我與父親很少在一起生活，大約從一九七一年父親在北投開雜貨店的階段，我才開始對他有點印象。一九七五年，我小學五年級的時候，父親離家北上長待歌仔班，當時兩位兄長一外地求學一軍中服役，家中就只有祖母、姐姐、我，以及五歲的弟弟，姐姐

與我替代母親扮演操持家務的角色，沒有父親守候且照顧孩子長大的家，一直以來都是我與姐弟間的遺憾。這樣的家庭背景，造成我們自小就渴望父母的溫情及照顧，北上讀大學期間，一股對父愛的渴望與好奇，驅使我課餘時前去父親外台演出的地點，坐在他文武場位子旁看戲直到晚上離開……，其實那個階段的我，對父親還是很陌生。

踏入社會之後，在一些採訪場合中偶遇父親，父親都幽默的對著我打招呼：「邱記者您好！」，我也回他：「邱老師您好！」……；一九九○年，我為父母籌創劇團之後，漸漸重拾父女之緣。在我辭去新聞工作，與父親一起投入北管演出、編寫北管音樂專著的那幾年，我們更是同心協力、並肩奮鬥。這期間，也和父親一起陪伴二哥對抗癌症病魔，每一回二哥病情的起伏，我都感受到父親內心的遺憾，以及多年來疏於照顧家庭的深深愧疚，二哥往生時，父親一直強忍著悲痛，但我知道他獨處時哭了一場。

在戲班子長大，又有幸在記者生涯中受世界表演藝術的洗禮，加上身為人母的體驗，使我內心世界錯綜複雜；父親因戰事中輟教育，十幾歲即開始職業舞台生涯，外台戲班游牧般的生活與壓力，以及劇種生態更迭的衝擊，甚是消磨藝人的心志，同時也考驗著藝人的婚姻與家庭，

身為其子女的我，成長歷程裡充滿不定的變數，年輕時很羨慕那些身為公教人員子弟的同學，中午可以享受母親的愛心便當，假日父親帶著全家度假，反觀我的成績單不要說蓋章，父母大概看都沒看過幾次。

作為一位民間藝人是父親的宿命，也或許可說是承天命，如此一來，也註定了全家都得捨小我成就大我；父親何嘗不願享受天倫，但作為一個藝術工作者，他對藝術的執著與追求，早將其熱情與生命融入了音樂，這種境遇和我過去採訪的很多大師級人物類似，同時他們的家人都得有所犧牲，因為大師是屬於所有人的。身為大師兒女，若能將此宿命視為人生的一種考驗，因而鍛鍊出獨立的人格與堅毅的韌性，即台灣人所謂「吃苦變吃補」，今日自能以開闊的視野與心胸珍惜這樣的因緣。

這本書，我描繪的是一位處於傳統民間卻積極創造藝術與表現的真正大師級人物，而非本土勢力抬頭而衍生的一些文化樣板。有人曾說，如果我能拋下女兒身分來看父親，會發現他是一位了不起的人，而我的回答是，不論我用什麼身分來看父親，他都一樣的了不起。

邱 婷

見證台灣
戲曲音樂史

北管世家

【母子相依親情濃】

梨園世家子弟，象徵著藝學家傳，和師徒相傳有著不同的培養方式。在台灣，有世家稱號的不少，但能在其領域中佔有一席之地，讓世家散發品牌、風格魅力的，北管[1]界當屬邱火榮一家了。

邱火榮的父親林朝成（1908-1970年）是台中河洛人，祖父盧石為自耕農，因入贅台中地主林家，生下二子各傳父母之姓，長子林朝成順理成章傳了母姓。清末農業社會北管子弟持續活絡，富甲一方的林家讓林朝成接受良好的學校教育，但他卻對莊內的北管子弟活動十分有興趣，從中部北管名師石頭仙（朱石頭）學北管戲曲，學著學著，當布袋戲班到村莊演出時，他已能協助戲班擔任後場，久而久之，很自然就踏入了這一行。

林朝成身為地主之子卻棄書從藝，其胞弟後來從事理髮業，林家家產良田數十公頃因

註1：台灣的北管，是子弟普遍的稱法，早期職業戲班及伶人都稱「亂彈」，因此亂彈戲也稱北管戲，也有人說是北管亂彈戲。

◀ 邱火榮的父親林朝成。

此無人繼承，據說其母林氏曾自我解嘲地說：「第一衰（倒楣）剃頭、吹鼓吹」，偏偏她的兩個兒子都碰上了。然行行出狀元，林朝成後來因北管享負盛名。他前期擔任職業劇班後場樂師，後期心力全投入於指導北管子弟軒社，因桃李遍台，鮮少人不知「樹成仙」名號。林朝成指導台北「德樂軒」期間，和北部布袋戲名師王炎（1901-1993年）、李天祿（1910-1998年）等成了知交，所指導的子弟或投入職業劇團擔任後場樂師，或成了北管子弟先生，個個學習有成。

林朝成在中部成家，並育有二子，長子林炳輝、次子林炳揚童年也曾追隨父親在台中學北管，分別學小生、小旦，當起北管子弟來，當年指導的北管先生是人稱「惡人仙」的葉美景（1905-2002年），但兩兄弟最後都沒有繼承父志。

林朝成處於北管戲曲興盛時代，不論職業班還是子弟軒社都十分活絡，但他四海為家的演藝生活和家人聚少離多，林朝成與妻子的婚姻亮起紅燈，甚至陷入分居狀態。一九三〇年代因舞台合作的機緣，和職業童伶出身的名伶邱海妹（1911-1993年）近水樓台相識相戀。

▶ 林朝成的三個兒子，只有邱火榮（右）傳北管衣缽，圖為其與大哥林炳輝（中）、二哥林炳揚難得相聚。

▲ 林朝成指導北管子弟無數，隨著曲館駐地移居四海為家，難得與孫女邱淑美在北港朝天宮前留影。（攝於1960年代）

林朝成與邱海妹相識時，邱海妹年方二十出頭，天資聰穎，加上嗓音高亢，在劇班擔任六大柱[2]中的老生，所到之處都受到劇班及子弟觀眾的歡迎。但比起林朝成，邱海妹出身童伶班，和其他同樣在「父母無聲勢，送子去學戲」的環境下入班學戲的伶人一樣，都有不為人知的出身；邱海妹為苗栗大湖客家人，庶母所生，父喪後與母同被大房趕出家門，母女相依為命，一方面是扶養的困難，另方面學戲不失培養一技之長，於是十二歲那年母親將她簽給豐原「慶陽春」童伶班，如此一來，班主會支付家長一筆費用，但童伶在約定學戲年限內必須履行演戲的義務直至期滿，這種近乎「賣身契」的人才培養模式，因有約束、束縛的意味，台灣民間都稱之為「綁戲」。

亂彈戲在日據時期風靡一時，不僅民間信仰活動以它為正宗，由俗諺「呷（吃）肉呷三層（五花肉），看戲看亂彈」更看出它的群眾性。也正因它與民眾的生活習習相關，民間大規模培養伶人的職業班紛紛成立，從全男童到後來女童的加入，

註2：亂彈班的主要行當六大柱，又稱頂六柱，有老生、大花、正旦、小生、小旦、小花六種角色，其中前三者統稱「三大」，後三種角色統稱「三小」；另有「下四柱」包括公末、二花、老旦、捧茶旦等配角，此十柱構成亂彈前場演員的角色。戲班行內的說法是，所有行當中第一辛苦的是老生，每齣戲都有，且戲分吃重。

這種俗稱「囝仔班」的童伶班出現，對台灣戲曲史甚至是亂彈活動產生舉足輕重的影響，沒有「囝仔班」及其所培養出的一批伶人，台灣的亂彈史將乏善可陳。

邱海妹正是亂彈班開始吸收的第一批女童[3]，在「囝仔班」學戲，過程中免不了打罵，但邱海妹的訓練過程比起其他童伶實在順利的多，她天生一副好嗓，加上學得快吸收快，很快就挑起大樑演出。期滿後恢復自由之身，邱海妹遂得以自由搭班，曾加入的班社除「慶陽春」之外，尚有台南班、苗栗「東社班」等。

林朝成本來就有家室，他和邱海妹未曾想過共組家庭，更別提生兒育女，自然也沒有傳承衣缽的念頭。因比，邱海妹懷了林朝成的孩子後仍持續搭台南班，而當時的林朝成毫不知情，又因子弟軒社的聘約而與邱海妹分道揚鑣。一九三四年夏秋之際，邱海妹在台南市生下邱火榮，和上一代同樣的命運，沒有明媒正娶，戶口父親欄為「不詳」。由於林朝成元配已育有二子，加上邱海妹沒有兄弟，孩子生下後順理成章的傳承了邱姓香火。

註3：早期的亂彈演員清一色為男性，後來開始逐漸有女童入班學戲，以1912至1925年的大正年代為分界。台灣首批被綁入戲班的女伶，目前已知最早的有「阿圓仔旦」、劉四妹、邱海妹、「阿茶旦」、傳貴香等人相繼在大正以迄昭和年間入班學戲，從1910至1930初，大約二十年的光景，台灣亂彈班吸收一批職業科班女伶，她們是首開台灣亂彈史上女性投入演藝活動的一群，也是亂彈坐科學戲的末代伶人。邱昭文（邱婷），《台灣戰後初期的亂彈班研究》，頁58。

▶ 日據期間入童伶班學戲的邱海妹（右），以「女老生」享譽戲壇，中年起甚少演出，重心放在指導子弟軒社，因此劇裝照片甚為罕見，這是她與日據伶人劉戌妹在一場演出後專程到相館拍下的「回窯」劇照。（攝於1950年代末期）

英雄出少年

【耳濡目染啓蒙初始】

北管藝人歷經了八年「禁鼓樂」時期，都自嘲是處於偃旗息鼓的狀態。光復後藝人無一不萌生復出念頭，可以說個個摩拳擦掌、躍躍欲試，無論是伶人自行集資或是找有財力者獨資，有以原名復班，有重新起班，前場六大柱、下四柱及後場樂師不虞匱乏，約有十餘個職業亂彈班迅速回復職業演劇活動，且活躍一時。

其中以日據時代「東勝園」（民間俗稱「東社班」）為班底重新出發的「再復興」，在光復後相當受矚目，在桃竹苗地區名號尤其響亮。當時年僅三十五歲的邱海妹，在劇班的號召下也加入「再復興」，和同樣適值壯年的藝人在舞台上一展身手，營造最直接而有力的演劇環境。而當時甫就讀小學五年級的邱火榮，光復後面臨得重新學習中文注音符號的情況，另一方面也因母親到戲班之後，留下他孤零零一人生活無依，縱使他能夠持續學業，也無人照料，環境的因素使得最後他只能追隨母親到戲班生活，接受民間戲曲的洗禮。

邱海妹母子在「再復興」待了幾個月後即改搭台南班，這期間林朝成經常前來探望他們，父子倆逐漸培養出默契。另一方面，原本就十分活躍的業餘北管子弟活動，也紛紛開館活

歷史的迴響

日據入囝仔班學戲的人才很多，且在光復之初正值青壯時期，因此光復後紛紛重回職業舞台，在這段期間陸續復班或重組的如「再復興」、「慶桂春」、「福興陞」、「老新興」、「樂天社」等，據藝人的說法，約有十餘個亂彈班很快開展其職業演劇活動。

動，因著林朝成到台中教導「永樂軒」社團的機緣，邱火榮十四歲那年開始追隨父親到子弟軒社活動，父子之間也有了更親密的接觸與生活。也是在這段期間，林朝成與邱海妹正式辦理結婚登記。

當時住在村長家的邱火榮，白天就和村長家的孩子一起遊玩，晚上子弟排練時就跟隨著大家學戲，所不同的是，父親不若母親的一對一教學，而是讓他在曲館中自由活動，邱火榮回憶這一階段，直說父親是讓他跟去曲館玩，沒有刻意要他學戲，「所有的功夫是靠自己吸收的」。

天資聰穎的邱火榮，對於北管後場的吹拉彈打各式樂器，都十分好奇，然而父親林朝成卻不積極鼓勵，台灣民間所謂「下九流：剃頭、吹鼓吹……」的社會成見依舊，林朝成認為北管是根，學是為了不忘本，但若有機會讓兒子學做生意，生活會比較穩定。

但這豈是林朝成可以預料的，雖然他既不講解鑼鼓，也不教兒子吹嗩吶的要領，但邱火榮學起音樂稀鬆平常，毫不費力，除了武場鑼鼓鐃鈸自然上手之外，一般孩子吹著肥皂泡，在大人眼中再平常不過的遊戲，他卻是和「永樂軒」子弟一起訓練「吞氣」[1]，就在父親不大注意的當兒，邱火榮很快學會了這項嗩吶的基本技巧，從學會拉弦、吹嗩吶到玩鑼鼓樂器，逐步奠下後場的專業基礎。

看著自己孩子如此有心且聰慧過人，林朝成遂安排邱火榮到自己師兄弟王振生的布袋戲班「振樂天」打鑼抄，那一年邱

註1：「吞氣」為北管嗩吶吹奏技法的一種，意即「循環換氣」，學會這項技巧，可以一個單音持續吹奏不斷，是北管重要的基礎技法。

火榮十五歲，開始他職業生涯的磨練，也是他參與職業舞台演出的頭一回。

【德樂軒館的啓發】

十七歲那年，因台北著名的子弟館「德樂軒」聘請邱火榮的父親、母親北上教館，因而舉家北遷。

有關「德樂軒」聘請先生的因緣，有一種說法是依據江武昌整理撰寫的〈哈哈笑的「闊嘴師」：王炎〉一文所述，人稱「闊嘴師」的布袋戲耆老王炎不願見北部北管西皮系統的「社」派子弟館一方獨盛，義走中南部，打聽北管戲曲音樂的能人北上，終聘請台中「樹成仙」一待台北十餘年，傳教福路北管戲曲，為薪傳、平衡台北地區的北管子弟戲曲，而貢獻心力；[2]另一說法為布袋戲大師李天祿所述，「我住在橋頭的時候，附近有個『德樂軒』子弟館，每次要演出子弟戲時就借『亦宛然』的後場師傅過去幫忙，次數一多，戲班沒辦法同時應付兩邊需求，我決定另外培養一批年輕後場師傅出來接棒，出資聘請師父到『德樂軒』授課…」[3]從以上說法不難窺探前輩藝人對傳統藝術的執著與無私的奉獻心，無怪乎王炎在民間有「子弟媒人」的封號，而李天祿則是「德樂軒」的贊助者。

位於獅館巷（今涼州街）的「德樂軒」，和李天祿的「亦宛然掌中劇團」戲館對門，林朝成蒞館之初，一些老會員的孩子來參加子弟學後場，其出身環境雖不好，但熱愛北管，開始約有三、四十個孩子加入，到最後只有十三個人學成，大家都

註2：江武昌，〈哈哈笑的「闊嘴師」：王炎〉，王炎紀念專文，2000年4月4日張貼於「台灣文學研究室」網站。

註3：李天祿口述，曾郁雯撰錄，《戲夢人生——李天祿回憶錄》，台北，遠流出版，1991年，頁164。

註4：同註3，頁166。

稱他們為「十三公司」，成員包括蔡文成（馬鼻生）、劉金松（白猴）、黑龍兄弟、陳天護（黑仔）、林振來（貓來仔）、陳瑞昌（黑狗昌）、楊財明、阿標、林曜期及最後加入的李順發等，有些投入道教音樂，不少後來成了「亦宛然」、「小西園」後場樂師，甚至當了子弟先生。[4]

「德樂軒」在林朝成、邱海妹指導十年間，鬧熱滾滾，每逢農曆六月二十四日戲神西秦王爺誕辰定有公演，還有歲末及特殊節慶如建醮等，一年總要演出兩、三檔，所推出的戲齣十

▲ 林朝成、邱海妹（左）夫婦指導「德樂軒」有成，他們所教導的「十三公司」後來成為台灣專業後場樂師。圖為「德樂軒」公演「秋胡戲妻」現場，右為「十三公司」之一的「白猴」劉金松。

分可觀，數出的包括《白虎堂》、《黃鶴樓》、《長坂坡》、《鐵弓弦》、《黃金臺》、《過秦嶺》、《金水橋》、《秋胡戲妻》、《打桃園》、《鐵板記》、《爛柯山》、《長春卸甲》、《天官賜福》、《三仙會》等，演出時，林朝成司鼓，頭手弦吹借調「亦宛然」「明仙」陳田[5]擔任，為此，其「亦宛然」的演出空缺就由邱火榮接替，「十三公司」全部上陣演戲，連李天祿長公子陳錫煌都票過《鐵弓弦》一齣，可以說風光一時。

除了「德樂軒」，位於延平北路永樂市場內的「金海利」也活動起來；以漁業為主所成立的「金海利」，和「德樂軒」均屬台北五大軒社之一，光復之初，以學演子弟戲為主，聘請邱火榮母親邱海妹為館先生，成員第二次開館活動，以學習後場為主，因林朝成指導「德樂軒」，就安排邱火榮指導「金海利」，他甫到「金海利」時年僅十七，因此大家都叫他「囝仔仙」，「金海利」學成者有陳森露、陳森村兄弟。

林朝成這項安排別有用心，林朝成要邱火榮利用白天空檔隨「金海利」子弟到市場學著做生意，將來若不吃鑼鼓飯，還有另一謀生之計。邱火榮天性活潑機敏，在外人眼中是個適合做生意的料子，但嘗試過學炸油條、永樂市場賣茱賣魚等工作之後，邱火榮最後還是走回戲曲音樂才安定下來。

隨父親到獅館巷教導「德樂軒」的期間，對邱火榮步入專業樂師生涯有相當關鍵的影響，一為認識鄰居蔡義；當時的蔡義任職於交響樂團（台灣省立交響樂團的前身），是早期台灣管樂的前輩音樂家，因近鄰熟識，知道他是「德樂軒」先生的

註5：陳田將女兒陳金治嫁給林朝成次子，即邱火榮同父異母胞兄林炳揚，因此一姻親關係，邱火榮都稱陳田為親家。

兒子，分文不取就收邱火榮爲徒，傳授他管樂的演奏基礎，初學時，邱火榮從小喇叭開始學起，從他的西樂術語全是日文外來語，可以知道早期台灣的古典音樂受日本影響至深，像小喇叭（trumpet），邱火榮的說法是「撇多」，學了一段時間，整本教材吹完預備進階時，因他牙齒結構不利於高音吹奏，後才改吹有竹片吹頭的樂器——薩克斯風。

從十七歲開始到二十六歲入伍，邱火榮向蔡義學習管樂這段期間紮下的西樂基礎，不僅創造他服役期間多彩多姿的康樂隊生活，也豐富了他的音樂生命，讓他無論在演奏、樂理、觀念或日後的教學等，都迥異於傳統樂師的的格局與內涵。

【亦宛然深造戲曲藝術】

加入「亦宛然」是邱火榮眞正開始他的職業演劇生涯，也是他做爲一名專業樂師的起跑點。世家子弟出身，年輕具潛力，邱火榮十九歲那年因親家陳田的引介加入李天祿的「亦宛然」，接替原來曹水龍的位子。初到「亦宛然」，邱火榮對京劇仍十分陌生，抱著學習的心情與態度，從打小鑼開始跟起，兼吹嗩吶、笛子，當時的後場都維持四位樂師，文武場都得兼，也是在這個階段，邱火榮開始深造京劇戲曲藝術。

邱火榮提及對阿祿師李天祿的印象，他說，李天祿精通唱曲又會打鼓，演扮仙戲時阿祿師自己還下場打鼓，其內涵、經驗相當豐富，邱火榮還強調一點，李天祿的口白無人能及，其講唱功夫是吸引觀眾入戲的重要因素，也因此在民間有良好的

口碑，不論連續劇、古冊戲或以京劇爲本的戲碼如《三國戲》、全本《伍子胥》等，既叫好又叫座，內外台戲約滿滿。

「亦宛然」的後場班底陣容素來最爲堅強，邱火榮入班時第一位打鼓佬爲紀三貴，紀三貴離開後，由何長生接替鼓佬位子，兩人都是出了名的藝妲老師，還有外號「鑼抄王」的施再生，右手打鑼、左手打抄（鐃鈸）不稀罕，所謂「一緊、二慢、三休」，施再生在快慢、休止等節奏的掌握，以及力度、音色等火候達純熟境界因而得到如此封號；加上頭手弦吹陳田，在如此高手雲集的環境下做音樂，邱火榮這個初生之犢，眼界大開，獲益匪淺。

當時政府大力提倡京劇及社會潮流趨勢使然，有北管功底的邱火榮認爲在「亦宛然」任後場，必得嫻熟京劇戲曲才能符合專業需求，邱火榮隨即加入位於歸綏街的「中華票房」，隨侯佑宗學習京劇鑼鼓，他清晰記得當年的「中華票房」就在「江山樓」酒家旁，也就是今日的歸綏公園，侯佑宗的鑼鼓特色緊湊、有張力，就邱火榮的看法，其文戲最具特色，其中奧妙內涵豐富。

除了學習京劇鑼鼓之外，邱火榮還和後來加

▶ 邱火榮十九歲加入「亦宛然」，相隔四十年之後，邱火榮再次與「亦宛然」結緣，參與紀念李天祿義演，與歌手蔡秋鳳（右）、年輕後場樂師吳威豪（左）同台。（攝於1998年9月）

入「亦宛然」的朱清松一起付費上個別課，隨小明仙、趙德厚學習京劇文場伴奏，當時兩位老師都在「江山樓」教導藝姐唱戲，弦吹功夫一流，如此寶貴的學習經驗，奠定了他在京劇文場伴奏的功底。

在「亦宛然」擔任二手弦吹幾年後，因頭手弦吹陳田離去，邱火榮隨即升任頭手弦吹，成為「亦宛然」自李九英、陳

田之後的第三位頭手弦吹。在當時，民間劇團有採「開分班」，即由藝人合股經營，每人按老闆及大家約定的股分比例拆帳，升任頭手弦吹之後的邱火榮，可分六分，當時一日酬勞約可領到三十塊，對照當時的職業亂彈班六大柱約十幾塊日薪，可說相當的優厚。

除了「亦宛然」，李天祿長公子陳錫煌於一九五三年組織成立「新宛然」，這個劇團也可說是李天祿「亦宛然」的子團，年輕一輩好手在「新宛然」多加磨練，技藝漸成熟自然被拔擢至「亦宛然」。邱火榮在「亦宛然」擔任頭手弦吹期間，也曾經協助「新宛然」在內台演出，但所擔任的是鼓手鼓。

「亦宛然」的後場十分出名，在李天祿的回憶錄中也強調了這一點，「當時很多後場不太敢到亦宛然工作，他們說亦宛然的錢不好賺，沒真功夫根本混不下去。」[6]，幾乎每位「亦宛然」後場樂師都能兼唱曲，而一般從別團初入「亦宛然」，也往往得適應劇團的演出習性及風格，像邱火榮在劇團期間的第二位鼓佬何長生，因交通工具為自行車，一旦遠途演出就無法參加，劇團為此還找了一位歌仔戲後場出身的林德旺，而且經過相當的時日之後，林德旺才完全接替何長生的鼓佬位子。

對一個職業後場樂師來說，以當時的潮流趨勢，學京劇、廣東音樂等，都是很基本的專業訓練，但邱火榮不以此為滿足，為了探索西樂及其與傳統的不同，他還特地找老師學西樂，如此一趕三，上午搭二十四號公車從三重榮寮經北門到松山，隨職業老師學爵士，中午過後到「亦宛然」演出，沒戲的

註6：同註3，頁116。

空檔晚上到「中華票房」學京劇，日子過得十分緊湊且充實。

　　邱火榮搭「亦宛然」劇團，隨李天祿從外台、內台演到廣播電台，可以說經歷無數的表演，其天賦異稟加上他積極學習，紮下相當穩固的基礎，作為一名專業後場樂師，邱火榮幾可說是奠基於「亦宛然」。

　　由於初入「亦宛然」是經由親家公陳田介紹，陳田後來離開了「亦宛然」，邱火榮也因接獲陸軍點召當兵在即而辭去，為此，邱火榮還介紹西螺人「炎仙」許森炎接替他的頭手弦吹的空缺，[7] 才結束他在「亦宛然」七、八年的職業後場生涯。

　　註7：邱火榮的說法與李天祿回憶錄的途述有所出入，邱火榮表示，正是他辭去「亦宛然」才出現頭手吹的空缺，因而介紹「炎仙」給阿祿師，李天祿說「炎仙」是邱火榮的前任正吹，前後次序不同。但邱火榮強調，在此之前阿祿師和「炎仙」不熟，他的說法才正確。

婚姻與軍旅生涯

【郎才女貌戲曲姻緣】

父母在「德樂軒」教館，邱火榮本身又在「亦宛然」任頭手弦吹，一家在戲界可以說相當的有影響力。因此，每每外縣市亂彈班來到台北延平北路媽祖宮（慈聖宮）演戲，戲老闆或主要演員就會到「德樂軒」拜會，像「老新興」亂彈班劉玉蘭就會在演出前先行打點，一方面聯誼敘舊，另方面也藉助子弟先生在當地的影響力為劇團造勢捧場。

逢「亦宛然」空檔，陳田就偕邱火榮到媽祖宮去玩，每當他們出現，戲班的後場就會主動退位休息，讓他們登台客串亮相。邱火榮年輕出眾、意氣風發，不少年輕女性深受他吸引，前輩更是爭相為他牽紅線，當時「再

▶ 潘玉嬌（右二）生於苗栗東社，為平埔族後裔，自小失怙，由寡母陳氏（左一）刻苦獨立扶養長大。

復興」的當家小生潘玉嬌和他，是大家公認條件相當的一對。

光復後隨舅父鍾阿知（1905-1996年）入「再復興」學戲的潘玉嬌，一九三六年生於苗栗東社，從小和邱火榮的同母異父胞妹劉玉鶯[1]一起長大，且同為平埔族後裔，其家族與亂彈班的淵源極深，祖父潘發是日據時代「東勝園」的班主，兄長潘細木曾任亂彈班「班長」，[2]雖然光復後入班學戲的環境與條件迥異，但積極上進加以有名師的指導，潘玉嬌年芳十六就出任職業班小生，小有名氣。十八歲那年，亂彈名伶劉玉蘭合

▲ 潘玉嬌在光復後隨舅父鍾阿知入班學戲，努力有成，圖為她參與內台演出的扮相。

▶ 潘玉嬌（右）年芳十六出任亂彈班小生，小有名氣。前輩藝人劉玉蘭（左）十分賞識，借調她台北開台演出，因而結識邱火榮。

註1：劉玉鶯，1936年生，為邱海妹搭亂彈班時與苗栗「東社班」知名大花劉明旺所生，從小由父親扶養長大，與潘玉嬌是近鄰、小學同班同學，同在「再復興」學戲時結拜，後來潘玉嬌嫁給邱火榮，兩人又成了姑嫂。

註2：潘玉嬌的外祖父潘發，日據時代為「東勝園」（民間俗稱「東社班」）班主，父親潘永山為亂彈演員，舅父鍾阿知出身日據「豐吉祥」童伶班，除攻大花、二花之外，還兼擅「跳鍾馗」儀式，晚年曾為各大寺廟及台北藝術大學戲劇廳主持「跳鍾馗」淨台儀式。其兄長潘細木，曾擔任「東勝園」的班長，即經紀人，負責「打戲路」拓展及接洽演出事宜，可以說一家都與亂彈班密不可分。

資的「新興班」在台北媽祖宮開台，借調「再復興」小生潘玉嬌到台北演出的機緣，潘玉嬌和邱火榮兩人因而初識。

過去戲班組班後第一場演出就叫開台，因大稻埕北管曲館密集，慈聖宮自然成為北管演出的重鎮，像慈聖宮廟前就有「平樂社」，獅館巷有「德樂軒」、「亦宛然」，永樂市場一帶有「金海利」，舊圓環一帶有「靈安社」、「共樂軒」，亂彈班在此開台，一方面給戲迷、子弟鑑定欣賞，一方面亮出實力，打出知名度。潘玉嬌在這場開台演出的表現口碑相當不錯，劉玉蘭極力爭取她留下，但因當時「再復興」屬開分性質（股東制），演出後，她旋即回苗栗繼續參與「再復興」演出，後來是因班內人事不和，加以戲班開始兼演歌仔，她才出班改搭「老新興」，而有機會在台北發展。

初到台北做開台演出，潘玉嬌也認識邱海妹，但台北、苗栗來來去去，相處時間不多，十九歲搭「老新興」，因班主為了演戲方便，放棄士林的戲館，改在台北牛埔仔（今中山北路一帶）安館，團員在台北有了定處之後，空暇的時間較多，潘玉嬌也漸與邱家熟絡。邱火榮熟識潘玉嬌之後，經常抽空到她演出的戲班幫她伴奏，並帶她到父母教館的「德樂軒」活動。因她十分上進用功，經常有空就從戲館走到「德樂軒」曲館學曲，邱火榮的父母看她乖巧上進，和邱火榮的工作與生活方式又相同，心中早內定潘玉嬌是最佳的媳婦人選。

有父母的鼓勵，邱火榮經常會到潘玉嬌所搭的戲班客席，近水樓台，逐漸培養出感情，邱火榮二十三歲那年（1956年）

正式迎娶當時二十一歲的潘玉嬌，伴郎有李天祿的長公子陳錫煌、「共樂軒」的朱清松、「德樂軒」的蔡文成及一位「金海利」子弟，新郎邱火榮及四位年輕才俊所組成的迎親隊伍從台北南下苗栗東社，邱火榮還依女方風俗與新娘一起拜祭平埔族的「番仔祖」，這才明白自己娶了個「番仔某」。

從此這一北管家族又添了一個生力軍，更壯大了世家的陣容。婚後兩人仍各自搭班，過著忙碌的職業舞台生活，隔年即生下長子。

邱火榮婚後未中斷他的學習，結婚那年他還繼續向蔡義學管樂，除了樂器本身之外，他所面對的是全然不同的記譜方式與音樂系統，除自小紮下的工尺譜基礎，又重新學習五線譜，

▲ 邱火榮婚禮由父親林朝成（前排右一）、母邱海妹（前左一）主持，後排右起為長兄林炳輝、林炳揚及兄嫂。

▲ 嫁入邱家之後的潘玉嬌在台北租屋前留影。

但從此讓他對傳統有不同的體認。

邱火榮經常以「選手」自喻，他認為自己是站在舞台第一線的專業表演者，無論音樂深度、詮釋都得是一流，好比運動場上的選手，他必得有過人之技術與能力，和退居幕後擔任訓練工作的「教練」有所區隔。而這一獨特的音樂經歷與學習，使得他的音樂視野更加寬廣，融貫中西。

【康樂隊光榮紀錄】

出生登記的訛誤，使邱火榮戶政資料上的年齡比實際小了三歲。這一誤差，讓他入伍時實際上已屆二十六之齡，陸軍一八三梯次徵召他金門入伍時，原本有位外號老查的平劇前輩欲通知師部召邱火榮加入軍中平劇隊，但因聯繫上的延遲，邱火榮已被編入九三師，和所有步兵連的阿兵哥一樣接受同樣的待

遇，但操練、站衛兵等例行公事持續僅數月，一次師部安排康樂隊到連隊勞軍的機緣，改變了他在軍中的命運。

在康樂部演出時，身著二兵軍服的邱火榮逕自走上舞台，向康樂隊的樂師借來薩克斯風便和樂隊合奏起來，不論《桂河大橋》還是《台灣曼波》，國語歌《相思河畔》抑或台語歌《望春風》，也不論探戈、恰恰、吉魯巴等，邱火榮的技巧及台風都儼然是康樂隊的一員，自始至終他沒有停止吹奏，直到整個勞軍晚會結束。此一驚人舉動引起在場所有人士的注目，更引起師部的好奇眼光，會後邱火榮立即被召到師部詢問其習樂的背景，當晚就被留在師部康樂隊，隔日師主任一通電話知會他的連隊班長後，他就被通知立即送回配屬槍枝，當時班長面臨缺人雖然很不高興，卻已

▶ 邱火榮擔任九三師康樂隊薩克斯風手，西裝筆挺，一派瀟灑。

無法改變師部的決定了。

　　邱火榮加入康樂隊後，從此不再參與勞動、操練，而是在排練、表演中度過，金門、頂堡、下堡、大擔、二擔、古寧頭等，康樂隊無一不前往勞軍演出，把歡樂帶給每一位離鄉背景保衛前線的軍人。康樂隊的成員可以說是軍中的特權階段，除了住在金門街上不必接受嚴酷的操練外，沒有演出任務時，邱火榮平時還可以穿著便服悠哉地逛街，相當受禮遇。

　　加入康樂隊不久後，軍中平劇隊也接獲訊息找到邱火榮，因表演時間錯開，他一人得以連趕兩隊。後來軍中有意成立布

▲ 九三師康樂隊隊員退伍前在金門合影留念，左起邱火榮、陳棟國、張順明、彭正忠。

袋戲隊，也命他召集訓練，他還挑選有北管基礎的軍人加以訓練，並特地回台北請「哈哈笑布袋戲團」老前輩王炎代為訂製一布袋戲彩樓，彩樓完成後卻因運輸不便未能送抵金門，後來只好改以絨布製作簡式彩樓，在前線也有模有樣地演起布袋戲來。

　　兩年的軍旅生涯，不但沒有讓邱火榮脫離表演舞台，相反的他一人身兼康樂隊、平劇隊、布袋戲隊，成了軍中的大紅人，每回新兵入伍報到時，師部主任就會以吉普車載著邱火榮到現場遴選人才，新兵幾乎人人都想加入這類藝工隊，尤其有音樂基礎者，無一不希望邱火榮會挑上自己，曾在歌仔戲班擔任後場樂師的李大保，就是入伍時被邱火榮選入布袋戲隊的。

　　一九六一年夏天，邱火榮退伍前還有一段小小的插曲。退伍前夕，邱火榮代表康樂隊參加比賽進入了決賽，師主任為了這最後一役，強力留他多待軍中十餘天，師主任以半遊說半勉強方式告訴他，若準時退伍要坐十幾天的船才能回到台北，若留任，師部會買機票讓他搭飛機回家。邱火榮當然無法推辭，代表康樂隊參加在金門的競賽之後，師主任送給他一面錦旗加以表揚，讓他光榮退伍。但退伍返家十餘天之後，師部又找上他，原來康樂隊成績優異入圍全國賽，演奏曲少了他是很難完美呈現的，因此，他又為師部到陸軍總部「客串」了一回。

演藝人生轉捩點

【轉業嘗試做生意】

　　入伍前辭去「亦宛然」的邱火榮，在等待點召之前十分搶手，常應「哈哈笑」王炎、「明虛實」林添盛及「也是好」等布袋戲團之邀擔任頭手鼓，直到入伍報到。服役期間，「小西園掌中劇團」團主許王經常到家中做客，當他退役返家時發現許王已徵得邱火榮父母同意，因此他退伍後隔年加入「小西園」，但所擔任的不是頭手弦吹，因當時劇團後場班底齊全，而是因應一些連續劇戲齣，要他擔任薩克斯風手。

　　當時的「小西園掌中劇團」逢大月演外台，小月則轉進內台在台北、基隆等地區做售票性商業性演出。一九六〇年代，

「小西園」在內台時興推出連續劇式的戲齣，像是《龍頭金刀俠》、《大俠百草翁》等，有別

◀ 邱火榮和妻子兒女一同為父親掃墓。（邱元洁／攝影）

▲ 遷居北投之後，邱火榮因妻子當媒人，第一回以介紹人身分出席婚宴。（攝於1971年）

於白天推出三國志等古冊戲，而後場就由邱火榮加入西樂伴奏。當年「小西園」本有位外號「海賊仔」的擔任頭手鼓，他離去後，就由邱火榮接替。

除了職業演出之外，一九六九年北投「清樂軒」社團主事者[1]延攬邱火榮夫婦指導子弟，為了安定他一家生活，子弟在北投清江路媽祖廟附近頂下一店面，經「清樂軒」長輩的提議開雜貨店，邱火榮夫婦不擔心自己隔行如隔山，果真投入開店，上午還兼賣菜賣魚，如此一回生二回熟，就這樣做起小生意，如此一旦戲路少甚至不搭班也可以維持生計。剛開始邱火榮一邊演外台戲，沒戲就專心做生意，後來他乾脆辭去「小西園」演出工作，和妻子全心投入生意，另兼指導「清樂軒」子弟。

註 1：北管子弟軒社的活動靠民間自行集資推動，因此都須借助地方仕紳或有錢有勢人士之力，這類人士民間都稱之為「頭人」，意即有頭有臉之人，他們因出資贊助，很自然擁有軒社的主導權。

生命的樂章

▲ 演藝生涯與家人聚少離多，過年難得全家團聚，邱火榮和母親、妻子及五位兒女合照紀念。（攝於1980年除夕夜）

　　雜貨店賣的東西不少，天未亮邱火榮夫婦就開著一部小發財貨車到太平市場批魚菜，夫婦兩人分頭進行，邱火榮負責採買魚類及豆干、油豆腐、海帶等豆類製品，潘玉嬌則負責買菜，回店裡就開始一天的買賣，下午賣得差不多了，接著就到迪化街批柴米油鹽醬醋茶、罐頭、糖果餅干等，一本帳簿記錄每件貨品的進價，來來往往的顧客上門，憑藉一個磅秤及腦子，怎麼忙也難不倒邱火榮夫婦。

　　除了白天之外，晚上還得煮綠豆湯或冬瓜茶，除了剛出生還在襁褓中的么子幫不上忙之外，其餘四個孩子都會幫忙潘玉嬌做「凍凍果」以便隔天販售。而邱火榮還利用那部小發財幫鄰近家具店載送沙發給客戶，因家具店所製作高級沙發不少銷

售給天母外籍人士，爲此，邱火榮還到補習班學了一期英文會話，以便順利送貨，每一回送貨到天母外國人的家門口，他就說：「Is there anybody home？」，接著還答說：「I'm sorry. Deliver sofa.」，這一段時日所學的簡單英文會話，沒想到事隔二十年他在海外演出時竟還派得上用場。

開雜貨店對邱火榮而言只是一種謀生方式，並不具特別意義，但對他的幾個小孩來說，卻是一段難忘的回憶；一九七一年颱風過境，雜貨店淹水，全家到媽祖宮內過夜，雖然風雨交加，卻是全家廝守一起，這恐怕是演藝生涯中難得碰到一家相聚的機會。雜貨店生意做了一年多之後，爲邱火榮頂下店面的「清樂軒」主事者過世，店面就被收回了。

一九七二年邱火榮全家遷到同區的崇仁路一老公寓，因夫婦都已辭去戲班工作，爲了一家生計，只好入境隨俗轉向客廳即工廠的生活模式；當時整個社區幾乎家家都是小型喀什米龍毛衣針織工廠，邱火榮買了一輛小發財，負責載運毛線材料及成品，原本家中沒有打算投入生產，但看著八歲小女兒每天放學就到鄰居家中爲人縫製毛衣，後來也購置一部圓盤機，由

▶ 邱火榮所生的一對姐妹花邱淑美、邱婷（右），童年時代難得與父母一起出席婚宴。

潘玉嬌母女一起投入生產，從織片縫合、收整領口袖口、繡花，母女倆做得有模有樣，也為家中貼補一些收入。

在一次進香活動中，潘玉嬌偶遇正搭台北「勝光歌劇團」的舊識，透過這位舊識，「勝光」積極延攬潘玉嬌入班，加上圓盤針織工作機會大幅萎縮，後來潘玉嬌就將家中機器賣了，和邱火榮先後重返舞台。

這期間正值邱火榮事業的低潮，而因台中「新春園」主事者陳阿獅的引介，邱火榮偶爾會到中部活動，因而結識台中太平「太豐園」亂彈班的贊助者賴德河，開始受邀擔任後場，彼此慢慢熟悉之後，因著「太豐園」起班不久，戲班又屬年輕的家族式型態，班主廖龍溪認為後勢可為，遂請邱火榮在台中開戲齣教戲，大約有半年的時間，邱火榮待在台中教戲、演出，「太豐園」的《天官賜福》、《三進士》就是當時邱火榮所傳授，直到應「民安歌劇團」莊萬福之聘，才回到台北搭班。

【歌仔戲班十餘年】

在台灣，戲曲演出一直依附著信仰活動，而其中亂彈戲更因其獨特的音樂和戲劇表現風靡全台，民間俗諺「呷肉呷三層，看戲看亂彈」可以看出其群眾性。除了藝術表現的特質外，亂彈戲更以台灣戲曲正宗在寺廟慶典祭祀活動中扮演重要角色。無論寺廟或信仰大眾都認為，神佛誕辰或建醮大典等，唯有請到亂彈班才足以表達信眾對神明的虔敬與祈願，寺廟請戲一為謝神，二才是娛樂大眾。因此，若財力雄厚的寺廟可以連請兩、

三台戲，亂彈班一定居「正棚」，歌仔[2]班及其他劇種居偏。

　　一九七○年代起，社會型態及休閒娛樂的轉變，職業北管戲班沒有新血加入，其數量與活動力都不若光復之初，加以內台歌仔因電影而大幅萎縮，紛紛轉出外台，諸家劇種班社爭食外台大餅的結果，使歌仔班更加求新求變，其活動力相當旺盛，對當時的亂彈班、布袋戲團的外台演出不無威脅。而為了爭取更多觀眾，歌仔班快速移植北管扮仙戲，有些歌仔班還吸收一些北管戲齣及唱腔，加上原本就已涵容的京劇音樂，形成能兼演歌仔、京劇、亂彈等多種戲曲的班社，像「勝光」、「民安」等都有所謂「三合班」[3]的味道，而大多數的歌仔班，則是同一齣戲中南腔北調，歌仔、京劇、亂彈等唱腔自由發揮。

　　如此的消長及發展趨勢，使得一些亂彈人才很自然地被歌

▲ 邱火榮在歌仔戲班擔任後場近二十年，和演員始終保持亦師亦友的關係。

註2： 歌仔，有學者主張正確說法為「歌子」，但因歌仔說法早被社會大眾所普遍接受且熟悉，故本書仍採歌仔。

註3： 大陸有以「三合班」來稱呼兼唱三種腔系的劇班，而此一兼唱三種腔系的演出型態則稱「三下鍋」。

仔班網羅，一九七三年潘玉嬌被「勝光歌劇團」挖角前，邱火榮的胞妹劉玉鶯及其夫婿陳玉平（1935-1995年）更早就投入歌仔班的行列，除了演出之外，劉玉鶯、陳玉平夫婦更因其出身北管及四平戲而有紮實功底在歌仔班受重用，陳玉平就相當受歌仔名伶陳美雲禮遇，擔任「陳美雲歌劇團」導演兼大花直至去世，而劉玉鶯更是橫跨北管、客家、歌仔等戲曲演出；潘玉嬌當時入歌仔班，主要在順應日演亂彈、夜演歌仔的型態，在日戲中挑樑演出亂彈戲。不久，聲名在外的邱火榮也被歌仔班網羅，從「民安」後又參與「明光」、「真明光」、「友聯」等劇班，始終抱持玩票心態參加歌仔戲演出的邱火榮，不意卻在職業歌仔舞台投入近二十年之久。

談到邱火榮與歌仔界的接觸由來很早，他在軍中一人兼三個表演隊時就頗有名聲，「民權歌劇團」班主林竹岸及林天成等，早就知道邱火榮其人，一九六〇年代林天成還讓兩位攻旦角的女兒林美玉、林美香拜師邱火榮學曲，邱火榮指導這對姐妹花平劇旦角唱腔、亂彈戲曲等數年，林美玉嫁為人婦後息演，林美香則還持續舞台演出，「陳美雲歌劇團」的新編歌仔戲《刺桐花開》，就是由林美香出任旦角。

當時不乏有父親帶著孩子登門請邱火榮指導的，但投入職業歌仔演出期間最值一提的，恐怕是邱火榮於一九七四年起搭「民安歌劇團」期間，與歌仔戲名藝人「黑貓雲」（本名許緣）長達五、六年的合作了。

當時的「民安」是日演亂彈、夜演歌仔、加演京劇的「三

下鍋」演出型態，日戲亂彈，由潘玉嬌挑樑時，「黑貓雲」就輕鬆兼演即可，到了夜戲歌仔「黑貓雲」壓軸，則可以說是潘玉嬌的輕鬆時段，當年「黑貓雲」常對著潘玉嬌說，「全省只有我一個『黑貓雲』，全省也只有你一個『亂彈嬌』」。話語中帶有恭維及彼此尊崇的意味。而能兼擅亂彈、歌仔、京劇後場伴奏的邱火榮，不僅受班主的賞賜，更受到「黑貓雲」的肯定欣賞。

「黑貓雲」在藝界是出了名的壞脾氣，和她合作若沒有相當的實力是很難自處的，有一回她在台上講口白，有位後場兀自在旁邊練琴，她一火順手拿起桌上的道具硯台就往那位後場樂師扔去，一點也不顧旁人的眼光。但她對邱火榮十分推崇，好的唱工配上好的琴師更是相得益彰。每當「黑貓雲」準備出場時，她都會輕撩幕簾，以手勢暗示邱火榮她所要唱的曲牌、調門，如此邱火榮就能令她大展喉韻，假若令她唱得酣暢淋漓，她下場還會對邱火榮豎大姆指，甚至稱他為「愛人」[4]。

在邱火榮眼中，「黑貓雲」的特出之處在於她獨特的腔韻，以及她只要掌握劇情便能即興唱出戲味的工夫，她的好喉韻，經常一唱半小時讓人聽

◀ 1960年代向邱火榮學曲的歌仔戲小旦林美香，1987年亦同赴東南亞巡演。

註4：「愛人」的說法，經「黑貓雲」的女兒也是歌仔戲名伶許亞芬解釋，那是種舞台上彼此瞭解而又契合的一種默契，邱火榮熟知「黑貓雲」的音域、氣口及行腔轉韻，可以說是她舞台上的最佳拍檔。從許亞芬十幾歲與她母親、邱火榮搭同一戲班時，她就常聽「黑貓雲」如此稱呼邱火榮。

一身技藝放光芒

【初探民間劇場】

從北管到歌仔，從大戲到小戲，邱火榮幾乎參與所有戲曲演出，在文建會於一九八二年首屆文藝季在台北青年公園推出「民間劇場」活動時，大家卻沒有忘記邱火榮北管世家的出身，徵調仍搭歌仔班的他參與這場北管藝人聯演的盛會。這場官方舉辦的傳統藝術盛會，戲曲主要以南管、北管戲為主，這兩項劇種對台灣戲曲發展史極為重要，但因其音樂的難度及正統性，與現代社會逐漸脫節，已呈現衰微，除了全省各子弟軒社活動力銳減之外，職業亂彈班也僅剩碩果僅存的「新美園」，因此這項北管藝人聯演活動不僅意義非凡，策畫執行的學者邱坤良還將其炒成新聞事件，充滿話題性。

學者邱坤良以其多年戲曲研究田野的人脈基礎，結合「施合鄭民俗文化基金會」及其《民俗曲藝》季刊資源，在演出前，號召全省北管藝人共同商討戲齣及角色分工，包括布袋戲老前輩王炎、傀儡戲藝人林讚成、子弟先生鄭生其、林水金、林青田及子弟黃炳煌、曾捷盛、職業樂師邱火榮，及前場藝人王金鳳、林松輝、游丙丁、潘玉嬌、呂仁愛等人聚集「靈安社」曲館，仙對仙，名伶對名伶，熱鬧滾滾。

名伶匯演在戲齣及角色的安排最是不易，得考量角色及戲

分的平均，連續兩天四場共敲定日戲──新路《斬黃袍》、《白虎堂》及夜戲──古路全本上、下《藥茶記》。主要角色王金鳳、潘玉嬌、呂仁愛、林松輝等戲份最吃重，其餘配角都是「新美園」班底，龍套則由邱坤良任教的文化大學戲劇系學生擔任。

當時在歌仔班任頭手弦的邱火榮，自謙匯演的後場樂師無論職業或業餘出身都是比自己年長的前輩，不想強出頭，當大伙兒詢及他的意見時，他隨即表明態度，無論文場或武場，無論是哪齣戲，他隨時填補大家安排後的空缺。然而在那次「靈安社」的聚會中，前輩鄭生其、林水金各自表達所要擔任頭手鼓的戲齣之後，其餘細節未再討論。

從演出前到即將開演，邱火榮都沒有表達任何看法，鄭生其擔任《斬黃袍》頭

◀ 「亂彈嬌北管劇團」成立前一年，邱火榮召集妻子潘玉嬌（右）和胞妹劉玉鶯在台北慈聖宮演出一場，作為劇團的啼聲初試。（邱元春／攝影）

一身技藝放光芒 　049

手鼓時，特別要求他打堂鼓，中場累了就要邱火榮接手；隔日的日戲《白虎堂》，由林水金擔任頭手鼓，黃炳煌任文場頭手，這時邱火榮就主動去文場彈奏月琴；連續兩晚的《藥茶計》，本應輪邱火榮擔任頭手鼓，但開演時中部子弟先生林水金已坐定頭手鼓的位置，邱火榮不好說話，還是走到文場去。但因這齣戲的戲劇性轉折變化很大，和子弟平日排場、音樂演奏的訓練不同，加上前半場進行緩慢，時間拖長不得不截段，演員才公推邱坤良前去協商，臨陣換將。

邱火榮一就頭手鼓位置，整個場子立刻活了起來，他一方面得緊鑼密鼓加快演出進行，另方面還得成功地烘襯演員及戲劇的表現，後半場飾張善人的潘玉嬌與扮演張浪子的林松輝有精彩對手戲，唱做之間全靠緊湊的鑼鼓牽動，演員演得起勁，觀眾則過足戲癮，邱火榮的半場《藥茶計》讓同行目睹了他的舞台功力，令人印象深刻。

【亂彈嬌北管劇團成立】

傳統藝術的浸淫是愈陳愈香，這句話一點兒不錯。二十歲不到就開始擔任職業樂師的邱火榮，無論是京劇、亂彈、歌仔、西樂，不管是大戲或小戲，吹拉彈打無一不精，如此的全才藝人，在台灣可說鳳毛麟角。對他個人而言，在累積長達三十多年的舞台經驗之後，無疑是他開始散發個人光芒與能量的時機。一九八九年，邱火榮的成就受到國家的肯定，除了獲頒教育部「民族藝術薪傳獎」殊榮之外，獲獎前後接連的幾個藝

▲ 1989年獲頒教育部民族藝術薪傳獎，邱火榮（右四）為國內第一位以北管音樂項目獲獎的藝人，一同獲獎的還有王金鳳、楊再興與楊秀卿夫婦。

▶ 1989年，邱火榮由教育部部長毛高文手中接過薪傳獎獎座。

術事件，也逐漸發揮他個人對藝術界的影響力。

　　「亂彈嬌北管劇團」的成立，不同於為謀生路或申請補助而設，一方面它是因應整個表演藝術環境提升後，北管勢必走入劇場的趨勢，而另一不得不趕緊成軍的原因，則和一九八九年五月二十三、二十四日「新美園北管劇團」在國家劇院演出有關；應當時的國立中正文化中心主任劉鳳學之邀，「新美園」首度進入國家殿堂推出《南天門走雪》、

▲ 自組「亂彈嬌北管劇團」後,邱火榮和妻子潘玉嬌(左)、女兒邱婷成為推動劇團最重要的伙伴。(林國彰／攝影)

《黃金臺》兩天兩齣北管大戲,由於戲班一向在外台演出,對劇場環境及演出型態十分陌生,加以沒有專業人士協助,從彩排到演出狀況連連。

那檔演出的主要演員除了班主王金鳳之外,還有蘇登旺、潘玉嬌、彭繡靜等,另外,王金鳳也邀來林水金、黃炳煌、邱火榮加強後場陣容,雖有人才,但沒有專業調度也無法發揮預期效果,甚至因不諳劇場作業,《黃金臺》還出現戲未結束大幕已落的尷尬場面。

那一檔演出,給了邱火榮及妻女三人一次震撼教育。當國內現有最好的前後場藝人,進入國內最好的場地演出,竟是一次失敗的經驗,此外,很多慕名而來的觀眾,也面臨了鴨子聽雷的苦惱,這些無形中給了他們相當寶貴的意見。一生都搭班的邱火榮夫婦從未有過組班的念頭,以他們的想法,藝人要的是舞台,不在乎由誰掌舵,但眼下邱火榮深刻體悟,時代不同,沒有專業的製作是不可能提升北管,甚至帶動年輕知識分子認識欣賞北管。

使命感使然,及考量現有的北管藝人還能有所發揮,「亂

彈嬌」以劇場或文化性演出為訴求，和國內唯一職業外台亂彈班「新美園」有所區隔。這個定位在非職業的專業性劇團，由邱火榮擔任音樂領導，潘玉嬌負責前場表演，女公子邱婷則集製作與行政於一身，開始投入推動劇場北管演出及扎根等工作，而創團第一場挑戰的就是全國文藝季的公演。

「亂彈嬌北管劇團」於一九九○年文藝季的北管戲公演《黃鶴樓》，一方面是潘玉嬌的拿手戲齣，另方面也是就國內現有人才的大動員，主要演員的安排包括日據藝人林阿春（飾孔明）、吳丁財（飾黃蓋）及光復後學藝藝人潘玉嬌（飾周瑜）、劉玉鶯（飾趙雲）與陳玉平（飾張飛）夫婦、王慶芳（飾甘寧）及「共樂軒」子弟出身的朱清松（飾劉備）等，武場由邱火榮司鼓，文場有鄭榮興、劉亦萬等，俱是國內一時之選。

這場北管戲有別於昔日外台酬神及子弟戲熱鬧排場，同樣的戲齣，在音樂風格和表演程式上力求原純傳統，但加入的舞台燈光設計則協助舞台呈現精緻風貌，還加上字幕輔助，精心編製海報、節目單及宣傳作業等，完

▶ 潘玉嬌在創團作文藝季《黃鶴樓》戲中詮釋的周瑜，已成為大學教學時的北管觀摩示範，其成功演出背後得力於邱火榮的司鼓領導。（林國彰／攝影）

雖然只是短短幾分鐘的演奏，他一人分司鼓、鑼、抄、嗩吶等不同樂器錄製，混搭一起卻猶如一紀錄嚴整的樂團，是一次截然不同的演奏經驗；第二度的廣告錄音，因著邱火榮，北管傳統工尺譜「乂上、乂工上六五上……」透過學童的形像直接導入廣告，讓社會大眾有初步的接觸，令人印象深刻。

【舞蹈即興亮麗演出】

走遍大江南北，參加過無數演出，但邱火榮怎麼也沒想到他會參與現代舞演出。

一九九五年「無垢舞蹈劇場」編舞家林麗珍在國家戲劇院發表她的力作《醮》時，特別邀請邱火榮參與舞劇演出，她

▲ 法國亞維儂藝術節的演出，不論是司鼓坐鎮全場還是五分鐘的即興吹奏，對邱火榮都是一項神聖的使命。（李銘訓／攝影）

▲ 舞蹈家林麗珍與邱火榮在「無垢舞蹈劇場」的《醮》演出後謝幕的畫面。（李銘訓／攝影）

說，不記得哪一年看邱火榮打鼓，十分著迷，那感動不單是來自他的藝術造詣，更是來自他和土地濃稠的情感所散發出的自信與精神，當下她就決定有機會一定要和邱火榮合作；從國家劇院到法國舞展、亞維儂藝術節（Festival D'avignon），邱火榮不但參與了林麗珍作品演出，並成為其重要的一部分。

林麗珍的《醮》，刻畫訴說台灣人與土地之間的生活情感，當中有些鮮明的意象與情境來自她童年的生活記憶，邱火榮聽她訴說其記憶時，很快知道她想要的聲音，他在舞作中的管子即興吹奏，既是作品中不可缺少的表演元素，也是情境轉

▲ 邱火榮（右三）和林麗珍（背對者）及舞者共同參與劇場演出，其敬業態度讓人印象深刻。（李銘訓／攝影）

▲ 邱火榮（第二排右四）在亞維儂參與舞劇《醮》演出，是一次難得的經驗。（李銘訓／攝影）

換的重要轉折，甚至是串場的關鍵，當被問及吹奏的樂曲時，他總是以輕鬆的口吻說，「隨便吹」，但林麗珍卻說，「他知道我要什麼，他的隨便吹，卻有著心貼心的感受與傳達」。

　　林麗珍說，邱火榮的生命很豐富，也毋須修飾，只要擺對位置，一分鐘都非常亮眼。林麗珍與邱火榮的海內外合作經驗十分特殊，她說，邱火榮絕對是藝術家，卻沒有身段，他的自信來自於他有很好的態度，其對工作的尊重、用心，足以成為當代藝術工作者的典範。她強調，像邱火榮這樣音樂與生命早已緊密結合的人，發散著豐富而精采的藝術生命與能量，根本不需「演」，如同李天祿在侯孝賢的電影作品中一般。

▲ 已故音樂家許常惠生前最後一次率「亂彈嬌北管劇團」赴巴黎演出，對劇團鼓勵有加。（林國彰／攝影）

　　和林麗珍及一群熱情洋溢的年輕舞者工作，使邱火榮對表演有了更多元的認識，林麗珍最敬佩邱火榮的不只是他的藝術而已，他對表演的嚴謹及敬業態度，林麗珍每每提及來勉勵年輕舞者，她說，那是真正的大師典範。

活躍於海外舞台

【國際巡演文化交流】

　　同樣是北管樂師，邱火榮和他的父親卻有著不同的際遇。梨園最重視的是行內的肯定與評價，但隨著台灣表演藝術國際化的步伐，邱火榮的表演舞台也隨之擴展到海外，從亞洲到美洲、歐洲、非洲，從華人地區演出到西方專業藝術節，邱火榮從一九八〇年代末期開始活躍於海外舞台，其一生真可謂行遍天下。

　　一九八九年元月，在學者曾永義、林明德、莊伯和帶領之下，邱火榮參加新加坡主辦的第三屆「春到河畔迎新年」活動，隨「小西園」劇團南征北討，為劇團帶起另一波表演的高峰；五月，緊接著赴美國檀香山演出，十月由曾永義、彭鏡禧教授帶領，還赴西德、巴黎、南非巡演長達兩個月之久。

◀ 赴泰國公演的空檔，和一群老藝人一起參加水上冒險，身手不凡的邱火榮是其中唯一沒有翻落水中的。

▲ 在巴黎演出期間，邱火榮與潘玉嬌夫婦難得偷閒話家常。（林國彰／攝影）

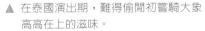
▲ 在泰國演出期，難得偷閒初嘗騎大象高高在上的滋味。

▶ 邱火榮以其傳統戲曲的專業，數次與巴黎結緣。

　　之後的國際行程可謂馬不停蹄，邱火榮隨團赴海外演出的行程包括：美國紐約中華新聞文化中心「台北劇場」、加拿大、瑞典、巴黎新聞文化中心、澳洲等國，台灣傳統戲曲藝術的魅力，每每受到國際人士的驚嘆，而這歸功於前後場的配合無間。

　　一九九六年，「朱宗慶打擊樂團」主辦「台北國際打擊樂節」，邀請八個國家十支打擊團隊會師台北，除了委託本土作曲家為世界知名打擊樂團寫曲之外，在這項以現代擊樂為主的國際交流盛會中，朱宗慶還將台灣傳統擊樂豐富面貌呈現在海內外人士眼前，邀請了台灣的傳統鑼鼓隊包括「亂彈嬌北管劇團」、「鴻勝醒獅團」、復興劇校及原住民打擊樂等，匯集成一場

▲ 邱火榮和「小西園」的同事一同參與海內外無數演出。左起邱燈煌、邱火榮、朱
　清松、劉亦萬、陳專安、張金土。

▲ 集各國擊樂好手共聚一堂的「台北國際打擊樂節」中,邱火榮率子弟兵演奏北管
　音樂,令海內外觀眾為之讚賞不已。

別開生面的「台灣打擊樂之
美」，朱宗慶認為，透過這種
方式更容易讓台灣的傳統樂
器及作曲家在國外流通。

首演夜「台灣打擊樂之
美」，「鴻勝醒獅團」矯健
俐落的身手及鼓藝令國外打
擊樂手瘋狂，接續邱火榮率
領的子弟兵鑼鼓樂演出，老
藝人力透鼓背的火候及指揮
的功力，讓全場觀眾讚賞，

▲ 隨手保存的海內外劇場的演出證，記錄
了邱火榮豐富的舞台歲月。

整個觀眾席可以說沸騰起來，外國音樂家投以台灣演奏家的熱
情，讓邱火榮更深刻感受到北管音樂的榮耀與驕傲。

一九九九年「台北國際打擊樂節」再度舉行，邱火榮有別
於一九九六年的鑼鼓樂演出，以戲曲型態切入北管打擊樂，在
妻子潘玉嬌的戲曲身段表演中，邱火榮現場指揮鑼鼓，邱火榮
精準的鑼鼓牽動演員的舉手投足，加上潘玉嬌唱做俱佳，再度
贏得海內外人士的讚賞。

▓亞維儂藝術節

一九九八年七月，文建會因著巴黎文化新聞中心在海外拓
展文化交流的基礎，大力參與被視為歐洲重要藝術盛會的亞維
儂藝術節（Festival D'avignon），這項國際盛會在一九九四、九
五年相繼舉辦日本、印度主題之後，一九九八年推出以台灣為

主的「慾望亞洲」系列活動，除國外表演團隊外，台灣方面團隊包括「復興閣」、「亦宛然」、「小西園」、「無垢舞蹈劇場」、「優劇場」、「漢唐樂府」、「當代傳奇劇場」、「國光劇團」等七個團隊，而當中邱火榮是唯一

▲ 在法國亞維儂藝術節演出期間，邱火榮隨「無垢舞蹈劇場」參與一項法式野餐，他是最年長卻始終與年輕人打成一片的老藝人。（李銘訓／攝影）

跨足兩個團隊且皆擔任要角的表演者，他以六十五歲之齡指揮後場，並在現代舞表演中擔任管子即興吹奏，成為當年亞維儂藝術節的一顆熠熠之星。

擔任「小西園」音樂指導的邱火榮，在這個奠基傳統的布袋戲表演中坐鎮後場，以絕佳的鼓藝與默契讓許王操偶得心應手，發揮了「三分前場七分後場」的精神，讓外國觀眾大開眼界。在「小西園」的演出之後，劇團隨即開拔庇里牛斯山境內的西班牙參與下一個藝術節演出，而邱火榮為了下一場「林麗珍無垢舞蹈劇場」的《醮》演出，一個人留下來，獨自邂逅這個城鎮三天。

等待與下一個合作團隊會合時，他形容自己是「三日不發一語」。但當林麗珍帶著舞團抵達時，好奇問起這些時日的生

活，邱火榮毫不猶豫的說，旅館的早餐他從不錯過，出入時取用房間鑰匙要用到的英文數字也難不倒他，憑著前一檔演出的印象，除了可以隨意逛街之外，偶爾他還會到超市去買食物……，團員聽了都覺得不可思議。

台上台下的邱火榮是判若兩人的。私底下他總是一派幽默，但台上的他十分嚴謹不苟言笑，在《醮》演出期間，舞蹈家林麗珍說，邱火榮是最不需要她操心的，演出前他總是提早穿好服裝拿著樂器在後台等候，不用舞臺監督催促。他在《醮》作品中扮演多重角色，他的管子即興吹奏時間不若音樂演奏長，但卻是舞作中重要的情境烘托與情緒渲染轉折，另方面也兼具串場的功能，因而每一次演出時間長短不定，當觀眾問起他即興的掌控時，他說，側舞臺的舞臺監督給他手勢，暗示他

▲ 在法國「世界文化館」彩排演出中，為了化解團員緊張氣氛，邱火榮走出司鼓位子手舞足蹈，令團員都笑開來。（林國彰／攝影）

▲ 「亂彈嬌北管劇團」的酒會上，「世界文化館」館長（中）向邱火榮（右起）、劉玉鶯、潘玉嬌、王慶芳等團員祝賀演出成功。（林國彰／攝影）

下一場舞者換裝完成與否，他就會技巧性地控制他的行進及吹奏速度，林麗珍認為，台灣能兼具這種臨場、敬業、演奏造詣的老藝人，恐怕只有邱火榮了。

■意象音樂節

另一次成功的文化輸出是在二○○○年五月，應文建會巴黎文化新聞中心與法國世界文化館合作邀請，「亂彈嬌北管劇團」以新型態在法國「意象音樂節」中向法國觀眾介紹北管戲曲音樂，這是繼「南聲社」介紹南管、郭英男介紹阿美族音樂之後，國內首度正式將北管戲曲帶上法國舞台。

經過半年嚴謹籌備，邱火榮以音樂會方式呈現北管音樂的不同型態包括吹打樂、絲竹樂、鑼鼓樂、北管小曲、崑腔等，

再搭配古路與新路戲曲選段，所有演奏者則是他多年來指導的徒弟如林永志、吳威豪、黃慧琥、徐雅玫、莊惇惠、謝琼崎、卓宥采、黃婉如及「采風樂坊」黃正銘、吳宗憲、林慧寬等，不同曲目中，除戲曲表演親自司鼓之外，邱火榮經常讓位給徒弟，而在吹打樂中獨奏嗩吶、絲竹樂中操琴，以他花甲之年吹拉彈打樣樣一鳴驚人，的確讓觀眾大開眼界。

　　曾多次赴法甚至是到歐洲各地表演，這趟法國之行對邱火榮卻有不同的意義，此行不同於以往是以團員身分隨團出國，作為劇團的領導者，無論是表演內容、服裝、技術等是否順利進行，節目說明及團員行程與生活安排等掌握是否得宜，更可看出一個主事者的能力與風範。多年的跟團經驗，邱火榮分工得當，胸有成竹，妻子潘玉嬌負責戲曲表演部分，么女負責行政製作，女婿鄭國揚擔任技術總監，團員從青壯到老年打成一片，融洽如一家人。

【異鄉暖暖台灣味】

　　近二十年的海外表演行程，老藝人最難適應的就是吃，很多人吃不慣生菜沙拉、起士等外國食物，一趟長達兩個月的歐

▶ 巴黎塞納河畔是邱火榮法國公演時一定得走訪的地方。

▲ 應中法雙方的邀請安排，邱火榮透過學者許常惠（右三）的譯介，將北管介紹給法國觀眾。（林國彰／攝影）

洲巡迴下來，往往出現水土不服的症狀，同事幾乎將台灣帶去的正露丸吃光，當大伙兒思念台灣口味時，在旅館內就會聞到從邱火榮房內飄出來的陣陣香味，這時大家就不約而同聚集在邱火榮的房內，一方面解饞，一面敘舊聊天，成為海外生涯的一項情趣。

從小和母親相依為命所培養的獨立性格，邱火榮每一趟出國的行囊內有米、醬菜罐頭、調味料，還有一個兩人份的大同電鍋，只要在當地買些肉，燉雞、魯肉等家鄉料理一點也難不倒他。一九八九年，邱火榮赴巴黎新聞文化中心演出期間，已故作曲家許常惠正在巴黎大學客座教學，許常惠夫婦與邱火榮在異地相逢，品嘗了他親手做的紅燒肉，共飲幾杯，那種情境令人記憶深刻，難以忘懷。

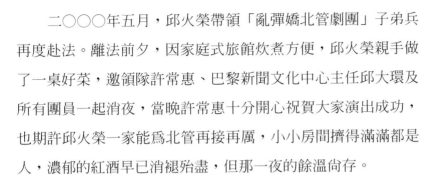

　　二〇〇〇年五月，邱火榮帶領「亂彈嬌北管劇團」子弟兵再度赴法。離法前夕，因家庭式旅館炊煮方便，邱火榮親手做了一桌好菜，邀領隊許常惠、巴黎新聞文化中心主任邱大環及所有團員一起消夜，當晚許常惠十分開心祝賀大家演出成功，也期許邱火榮一家能為北管再接再厲，小小房間擠得滿滿都是人，濃郁的紅酒早已消褪殆盡，但那一夜的餘溫尚存。

　　和邱火榮一同出國的老藝人都佩服他的機靈，不論到哪個洲哪個國家，行住坐臥都不易難倒他，因此只要沒有翻譯或接待陪同，團員都喜歡跟著他。經常海外觀眾很欣賞且好奇他的演奏，很想與他聊上幾句，他都會很不好意思的說：「My name is William. I'm a teacher.」說完，自己還忍不住的笑起來，說自己沒唸什麼書。如果能像時下年輕人學那麼多年的英文，他絕對不會只甘於講這幾句英文而已。

▲ 在巴黎演出結束離法前夕，邱火榮親自下廚邀請學者許常惠（右）及團員互道衷腸一番。（林國彰／攝影）

著書立世傳曲藝

【曲譜整理公開家學】

邱火榮繼承父母衣鉢投入北管戲曲長達五十年，對於舞台演出日復一日的消逝，他常感慨父母親的一生值得流傳保存的很多，但除了他直接傳承發揚之外，竟沒有其他途徑可以留給後學參考。父親生前留下其畢生以毛筆抄寫的戲曲手抄劇本為數不少，但沒有留下任何有聲資料，母親的舞台風華更是不復見到，令他深感遺憾。

▲ 藉著影音及文字、樂譜等對照呈現，邱火榮將北管的精髓傳給下一代。（林國彰／攝影）

▲ 邱火榮主持的北管戲曲保存計畫，連妻子潘玉嬌（後坐者）都嚴陣以待。（鄭國揚／攝影）

年逾六十五之後，邱火榮也感慨後繼無人，何嘗不急切將所學傳給學生，但當有識者及弟子不斷建議邱火榮提出北管戲的傳習計畫時，他卻寧可投入繁瑣的曲譜整理工程；藝生傳習計畫無論兩年或三年，可以預見短暫熱鬧將帶給人們有限的希望，但長遠看來，曲譜資料的整理與再現一旦完成，其價值及其對後世的影響卻十分深遠。

另一方面，邱火榮從事北管教學多年，不論唱腔、牌子、鑼鼓等傳統手抄工尺譜或劇詞，都缺乏現身說法的能力，樂譜到演奏之間的差距甚大，要落實教學，必得仰賴有專業演奏水準的演奏家，並從演奏到吹奏手法、要領，詳實記錄，才能使樂譜活出。為此，二○○○年邱火榮海外演出告一段落，開始減少演出，偕同女兒邱婷共同投入北管音樂曲譜整理與教材撰寫，企圖為國內的北管研究開創一前所未有的保存模式，也為邱火榮一生豐富的音樂閱歷留下智慧的結晶。

在此之前，國內雖有學者專事北管音樂研究，但所出版的北管音樂專書不是手抄本整理結集，缺乏活生生的音樂加以佐

證說明，要不就是侷限於子弟軒社的活動與觀點，討論專業性音樂卻捨棄專業藝人的觀點，令行內感到十分無奈。為了忠實呈現自己的專業觀點與音樂，邱火榮親自主持北管音樂的整理工作，考量嗩吶吹奏最受限於體力，第一階段率先推出北管嗩吶曲牌的整理及錄音出版，從工尺譜到簡譜、五線譜對照，二十首牌子的唱念、吹奏錄影示範，及配合實際鑼鼓演奏錄音等，都是曠日耗時的艱辛工作。

吃重的工作，使得邱火榮高血壓及心肺宿疾復發，期間他一度住進國泰醫院進行心導管手術，手術前一天，為了拷貝保存他的錄音示範資料，女兒一再提醒他住院前將錄音備妥，將進手術房時，他竟忐忑不安地告訴子女「這下進去若是醒不來，北管資料就都沒了」，那一刻，大伙都體悟到大師的智慧活在身上，不留就全被帶走的現實。

計畫執行過程中，邱火榮充分授權，並不時從旁關注，錄音演奏的後場樂師全是他訓練出來的子弟兵，在每一次的排練過程中，只要他一拿起嗩吶，其人與音樂全神貫注，連錄音師都十分佩服他的敬業與專業。

◀ 邱火榮的北管計畫，錄音部分召集高徒鄭榮興（後）、林永志等人共同參與。（鄭國揚／攝影）

在國立傳統藝術中心年度新書發表會上，邱火榮對自己的《北管牌子音樂曲集》作品信心十足，除了他個人的吹奏要求嚴謹之外，整套有聲書的內容、設計、品質融合傳統與現代，精緻有味。他強調，這項計畫由他自己主導，帶領下一代及子弟兵共同完成，可以完整呈現自己的觀點，是一部眞正行內的作品。

作品問世後，邱火榮受到許多關心北管文

▲ 2001年元月，邱火榮父女發表其重要著作《北管牌子音樂曲集》有聲書，將所傳及畢生心得整理成書公諸於世，發表會上父女二人看著自己的作品十分欣慰。（鄧惠恩／攝影）

化人士的肯定與鼓勵，他自己也明白，這部作品只呈現了北管藝術的一小部分，其他還有扮仙戲、戲曲唱腔、崑腔、鑼鼓樂、絲竹樂等都有待整理，這種迫切程度使他更加感到自己在跟生命賽跑，內心十分複雜。

在牌子之後，邱火榮接續投入最複雜難爲的唱腔整理，不若牌子還有工尺譜流傳，所有的唱腔譜例都靠他逐句逐句地翻寫，內容涵蓋西路、古路各式板腔，光是工尺譜的部分，要完

▲ 邱火榮以唱腔伴奏為主軸的北管戲曲錄音，雖非現場演出，仍然不馬虎。（鄭國揚／攝影）

整記錄鼓介、唱腔及伴奏，且板眼位置不能有所偏差，每一種板腔的譜例從翻寫、校訂、到定稿都得親力親為，來回不知重寫多少次，加上委託的國立傳統藝術中心有專家學者提出修正意見，光是唱腔的工尺譜與歌詞如何呈現的問題就令邱火榮十分無奈，以他一生所見所學完成的唱腔譜最後還是被迫放棄，按學者意見重新寫過，如此日日埋首於工尺譜使他看了眼科數回，桌面上除了樂譜之外，就是眼藥水。

這項繁重的唱腔音樂整理計畫，除了樂譜整理外，邱火榮還帶領妻子潘玉嬌、胞妹劉玉鶯及子弟兵錄製西路《回窯》、古路《思將》、《過秦嶺》兩張戲曲專輯，錄音形式以排場為主，樂師無法藉由演員的動作或神情來表達其戲劇中的情緒，只能以單一線條的音樂表現方式呈現，但追隨邱火榮八年的弟子謝琼崎在參與這項錄音時表示：「邱老師並非受此限制，在其精湛的琴藝下，眼前彷彿出現一個立體的三面舞台，趙匡胤與胡金定栩栩如生的全都出現在眼前。特別是在演員的情緒轉折處與整體空間的營造上，可說拿捏恰到好處，若不是長時間身處於戲劇的演出，是無法擁有這方面的體認。」

在兩套專輯錄製過程中，邱火榮擔任嗩吶或主胡伴奏，打鼓位置雖讓給弟子林永志擔任，卻始終沒有減損他的光芒，甚至將所職司的角色發揮得十分出色，帶動其他後場樂師的潛能。謝瓊崎回憶起她曾與林永志一起擔任邱火榮的下屬樂器，在老師的音樂旋律的帶領下，「我倆不由自主的彈奏出以往未曾有過的聲響，彷彿自己的境界在此時坐上了雲霄飛車般。」

《北管戲曲唱腔教學選集》集教學、欣賞、研究功能於一身，打破家學祕傳的說法。邱火榮記得，昔日徒弟從先生習樂時，老師都是傳一首牌子譜，練會了才給下一首，如今在製作北管專書的過程中，他卻想要將很多東西包容進去，因此無論錄音的選段、光碟示範的板腔、書中的譜例等，都比原定委託單位審定的還多，且內容考量子弟、國樂人等不同專業出身的需求，是他一生中相當重要的作品。

可惜的是，隨著國立傳統藝術中心的策略調整，整個北管戲曲音樂的整理保存工作未能持續，這使得邱火榮的構想未能逐步落實，不能說不是一個遺憾。

▶ 在文建會國立傳統藝術中心的支持下，邱火榮結合妻女、妹妹共同參與他的《北管戲曲唱腔教學選集》編寫及演出錄音，可以說傾家族之力。（鄭國揚／攝於新書發表會）

桃李遍台藝術薪傳

　　藝人的生命在舞台，但延續其藝術生命靠的是薪傳。

　　邱火榮的職業生涯多彩多姿，年輕時以舞台為主，教學次之，晚年他卻是以教學為主，角色及內容也多元化。

　　邱火榮十七歲開始教北管，其子弟遍及全省，且士農工商無一不包，指導過的包括「金海利」、「清樂軒」、「潮和社」、「南義社」、「共和社」、「同樂軒」等，都有相當的成果，其中位於台北板橋的「潮和社」，邱火榮自一九七一年指導迄今，前後長達三十多年，除了迎神賽會出陣、排場、演子弟戲之外，還曾受邀赴海外演出，相當活躍。

　　邱火榮一九九○年起開始進入大學校園指導學生，一九九二年台大成立「歌仔戲社」，邱火榮擔任後場指導老師，一九九五年台大接續成立「北管社」之後，他與妻子潘玉嬌受邀指導這批非藝術科系出身的學生，從唸曲到套腳步，完全與子弟軒社沒有兩樣，僅僅幾個月的時間，這批大學生子弟就在台大校門口搭起戲台，煞有介事的唱起子弟戲來，一點也不含糊。

【名師高徒相輝映】

　　邱火榮一生指導無數，有一些是不能不提的。

　　第一位受其指導的職業後場樂師是歌仔出身的王清松，兩

人都不記得初識的時間，只記得約莫在一九七〇年代到一九八〇年代之間，邱火榮跨足歌仔班的時期，兩人既是師徒又是親密戰友；王清松最記得在「明光歌劇團」合作之初，王班主告訴邱火榮：「阿松這個団仔打鼓很認真，你要牽教」，但因聽不懂普通話，王清松完全不想學京劇鑼鼓，經邱火榮一再鼓勵，王清松終於向邱火榮學習，兩人同班，如此貼近學習整整一年，王清松後來參與很多團在台北慈聖宮大型公演，他說，這段經歷使他所學完全派上用場，且鼓藝更上層樓，否則他至今連京劇鑼鼓都不會。

提及和邱火榮老師同班學習的經驗，王清松說，他坐頭手鼓位置，邱老師在舞台另一方擔任頭手弦，邱老師知道王清松戲不熟，不知道要開什麼鼓介，都用弦仔「叫鼓介」提示他，每想到這兒，王清松不由得笑了起來。

後來，王清松不但在大戲中擔任頭手鼓，還參與彰化百姓公連演多日的場合，他形容自己當時是「一人戰兩、三

▶ 邱火榮的三位高徒，右一為鄭榮興、右二王清松、左一為林永志，在戲曲音樂領域中各擅專場，個個學有專精。（鄭國揚／攝影）

團」；往後他更是歌仔戲公演的常客，楊麗花在國家劇院公演以及廖瓊枝、唐美雲等知名藝人都經常邀請王清松擔任頭手鼓。

在王清松之後，邱火榮再收鄭榮興為徒；國內著名的客家子弟鄭榮興出身苗栗傳統音樂世家，自文大音樂系、師大音樂研究所碩士班畢業後赴法深造，回國投入教學及演奏工作，在民間劇場與邱火榮同為林讚成「新福軒傀儡劇團」擔任後場的機緣下，一方面見識邱火榮的後場演奏功力，另方面知悉原來其祖父生前最稱道的「女老生」，就是邱火榮的母親邱海妹，既是名家又系出名門，心中遂認定他是拜師學藝的不二人選。

一九八九年農曆六月二十四日是北管戲神西秦王爺誕辰，鄭榮興在三天前備供果前往邱火榮台中家拜過戲神之後，正式拜在邱火榮門下，隔天《民生報文化新聞版》以頭題「八音子弟學北管／傳統曲藝見遠景——民間戲曲兩大世家開創新猷」報導此一盛事，文中寫道：「邱火榮師承家學，不僅琴藝出色，鑼鼓也是絕活。他的鼓藝與戲劇結合為一，隨

1989年，鄭榮興（右）赴台中邱火榮家中正式拜師，堪稱傳統戲曲界一大美事。（邱元春／攝影）

▲ 十幾年來，鄭榮興經常隨老師參與各式演出，舞台經驗豐富。

情節激緩、演員狀況，靈活搭配，堪稱目前台灣北管界數一數二的樂師」：「這次中生代及新生代攜手合作，對客家戲曲及北管戲曲而言，都有承新啓後、開創新局的深刻意義」。

　　鄭榮興拜師邱火榮之後，對日後個人在北管戲曲的演奏上有很大的成長，因爲隔年一九九〇年五月，邱火榮結合妻女共組「亂彈嬌北管劇團」，開始在劇場活躍，提供了眞正亂彈戲的專業演出機會，另方面師徒同台，每一齣戲、每一場演出，同台演奏的觀摩與點提，恐怕是最立即且直接的。邱火榮與鄭榮興北管同台，和一九七〇年代他與王清松歌仔同台的情形相彷彿，唯有專業的場子和專業演員、樂師共同做戲，才能更上層樓。

　　鄭榮興一方面擔任教職，另方面亦隨邱火榮參與「亂彈嬌北管劇團」文藝季及各項巡演，並參與邱火榮《北管牌子音樂曲集》、《北管唱腔教學選集》錄音演奏，此外，他所領導的「榮興客家採茶劇團」近幾年十分活躍，可以說是國內少見有學者身分的藝人，現任國立台灣戲曲專科學校校長。

另一位年輕具潛力的徒弟林永志為北管子弟出身，十七歲加入「西田社布袋戲劇團」初步接觸布袋戲之後，十九歲進入「亦宛然掌中劇團」學藝，一年後正式入選為已故大師李天祿傳統布袋戲藝生之後，開啟其職業傳統樂師的生涯。

　　林永志在學習布袋戲期間，慕邱火榮之名已久，一九九五年二十三歲正式拜入他的門下，除專研北管戲曲之外，從其身教言教體會到一位成熟的樂師必得有全面性的磨練與涉獵，陸續參與歌仔戲演出，並深造京劇後場音樂，從此在布袋戲、歌仔戲、北管等各項展演中展現身手，幾可說承襲了邱火榮的專業路線。

　　林永志說，如果沒有遇上邱老師，他會成為一名傳統布袋戲後場樂師，卻不會有今日多方位的參與視野。藝術上，林永志說：「老藝人的學習多半承襲前人所學，但往往知其然不知其所以然，邱老師的樂理通透清晰，完全看得出他年輕時習樂歷程力求甚解的態度，從他習樂近十年，自覺功力增加一百倍。」已擔任「河洛歌子戲團」、「亦宛然掌中劇團」頭手鼓的林永志說，戲劇演出的轉折，就像橋與橋之間的接續，雖是小細節，卻關係整個演出的張力，這種往往連導演都看不出的部分，邱老師卻能給他寶貴的意見。

　　林永志還說，接觸過很多藝人，不免同行相忌，甚至不許徒弟從他師學習，但邱老師不但不禁止，反而鼓勵有加，精通京劇鑼鼓的邱火榮，要林永志隨職業京劇鼓佬學習道地的京劇鑼鼓，這種肚量與胸襟十分少見；林永志不忘邱老師的一句

▲ 林永志拜師邱火榮，既學藝術，也學做人處世。（林國彰／攝影）

話：「藝術好壞倒沒什麼要緊，人和最重要」，林永志說，身
爲人師，邱老師眞是無可挑剔。

【學院徒弟菁英薈萃】

　　除了三位高徒之外，台北藝術大學一九九五年創設傳統音
樂系樂種（南、北管）主修，設系宗旨雖在傳承，並延攬民間
藝人擔任教席，惜該系教學重心偏向館閣文化，輕職業重票房
的結果，使得學生的表演水準未如預期，以邱火榮如此背景的
藝人，無論是合奏、戲曲唱腔或工尺譜教學等課程，竟使不上
力，而只在選修課程中兼任教學，因此一些有心朝專業演奏或
深造的學生都得利用課餘向邱火榮請益，或參與其他管道的演
奏學習。

▲ 邱火榮指導專業級的國立實驗國樂團團員排練北管，演出前，他還會安撫團員緊張情緒。

一九九七年文建會國立傳統藝術中心委託「小西園」執行為期三年的「台灣古典布袋戲藝術人才培訓計畫」，其中一大目標即在培訓後場文武場樂師，整理鑼鼓經、音樂、曲牌教材，錄取的九名藝生黃慧琥、徐雅玫、莊惇惠、黃惠敏、謝琼崎、卓宥采、謝耀銘、陳俊吉、黃婉如等三分之一正是台北藝術大學傳統音樂系北管主修學生，在邱火榮指導之下，學習成果受到肯定。學者林明德描述：「這群前後場藝生都有深厚的基礎，又抱持強烈的興趣，可說是一時之選。加上大師的傳授，堪稱精英集合。因此教學事半功倍，藝生深得心傳，技術精進。」連著兩年的成果公演，配合後場藝生的音樂，都讓學者專家稱讚不已，彷彿看到一個新劇團的誕生。[1]

此外，每年新生入學考的熱季，邱火榮家中還會有慕名而來的應考生，雖是應付術科考試，邱火榮卻教得十分認真，不收學費不說，他還親自下廚請學生吃飯，應考時還義務為學生伴奏，放榜期間，他比學生緊張，深怕學生沒考上。

正因自己未能接受正規學校教育，邱火榮總是樂見年輕人

註1：林明德，《阮註定是搬戲的命》，台北，時報出版，2003年，頁92。

▲ 邱火榮（右）教學有方，坐在鼓位上必定讓下手看懂他開的鼓介。（林國彰／攝影）

▲ 邱火榮調教的布袋戲後場藝生，年輕具潛力，是未來專業後場尖兵。

▲ 邱火榮指導學生不論業餘或職業，有機會就讓學生獨當一面，自己則不惜退居二線當下手。圖為邱火榮（右二）指導板橋「潮和社」演出時，擔任小鑼手。

上進，因此除了認真教學之外，他還鼓勵學生繼續攻讀研究所，從大學就跟隨他學北管的謝琼崎說，邱老師總是毫無保留的提供所知和所學，將學生視為自己孩子般的教導、期待，讓學生對他有著「一日為師、終身為父」的情感。

邱火榮的學院教學，摻雜早期師父帶徒弟的味道，因而帶出一批有潛力的後場新秀，他們多自國立藝術學院傳統音樂系、台灣藝術學院國樂系、師大音樂系等畢業，部分還獲選文建會扶植的布袋戲後場藝生，持續接受邱火榮的指導，並追隨他參與各項大小演出，其中不乏研究所碩士，無論投入職業演奏或學術研究，都是未來傳統音樂文化工作的尖兵。

此外，一向致力推動南管藝術文化的「江之翠實驗劇場」，一九九八年也聘請邱火榮駐團指導北管，使其成為國內少見兼容南北管藝術的專業團隊。在以邱火榮為號召下公開招生的「江之翠實驗劇場」，吸引了一些慕名而來的北管愛好者，在長達五年多的定期學習之下，邱火榮傳授的北管內容相

當全面，涵蓋了鑼鼓樂、吹打樂、絲竹樂及古路、新路、扮仙戲等，戲曲戲齣包括《回窯》、《雷神洞》、《三進宮》、《醉八仙》、《三仙白》、《牧羊》、《別府》等，邱火榮並帶領團員一起排練演出，使學生在實際舞台演出中吸取寶貴經驗。

二〇〇〇年，彰化南北管戲曲館的主管單位彰化縣文化局聘任邱火榮擔任「北管實驗樂團」指導教師，為這個擁有相當

▲ 邱火榮指導「江之翠實驗劇場」北管，陪著團員一起排練、表演，相處得像一家人一樣。

▶ 邱火榮所教導的最年輕北管子弟：新莊國小布袋戲的小小子弟。

▲ 往返台北彰化一年又一年，邱火榮在彰化縣文化局及團員的熱情邀請下再次接下聘書。（彰化縣文化局提供）

北管歷史傳統的城市再添一音樂盛事。隨著早年學者研究發表「梨春園」子弟館的歷史傳統，以及彰化南北管戲曲館的興建成立，多少帶起彰化縣境內北管子弟的熱情與向心力，不過也因昔日中部北管子弟軒社十分活躍，彰化縣文化局捨近求遠聘請邱火榮南下指導，其魄力背後實則承受了不少在地人士的壓力，但這一點壓力隨著邱火榮的專業及敬業很快就煙消雲散，包括在地子弟先生都反過來向邱火榮請益，並向文化局表示好老師要設法留住，如此的互動與交流過程，的確也看出邱火榮「有藝走遍天下」的人生寫照。

【人生有夢亦美】

　　人生七十才開始。從十九歲擔任「亦宛然」後場樂師迄今，長達半世紀的戲曲舞台生涯，邱火榮參與見證台灣光復以來本土戲曲的興衰起落，從布袋戲、北管戲到歌仔戲，不論文場、武場，內台、外台，國內、海外，邱火榮本身就是一部活生生的台灣戲曲音樂史。

頂著一頭銀髮，背著一個大書包的邱火榮，在外台戲沒落之後，幾以教學為重心，經常，他都會從蘆洲住家獨自開車到關渡台北藝術大學上課，週六則坐野雞車往返台北、彰化指導「彰化北管實驗樂團」，從他身上可以看到老藝人、藝術家、教育家的多重特質，但他自己卻是一派「走江湖、吃十方」的瀟灑。

因為跑江湖，所以沒有退休；因為跑江湖，所以愈老愈值錢；因為跑江湖，所以四海為家；因為跑江湖，四海之內皆朋友，這是邱火榮的寫照，但生命當中有些意想不到的事，猶如他在打鼓時，得隨著觀眾的情緒變化而做因應一樣。邱火榮的父親林朝成，家有田產數十公頃卻四處跑江湖，讓農田因三七五減租、耕者有其田政策都給了佃農，到了邱火榮這代也是工作一輩子，壓根不去打算，也沒有什麼積蓄，在台北租屋三十年，六十八歲那年他突然宣布買了房子，一堆學生到家裡熱鬧，知道他以總價一百多萬買下蘆洲一「特拍」的五樓公寓，都跌破眼鏡。

說他老藝人不擅理財，他分析買法拍屋的價格及利息利率，遠比租屋

▶ 邱火榮（左二）每週往返台北彰化教學，奔波辛勞，但看到團員如此積極向他學習，也不願讓彰化子弟失望。（彰化縣文化局提供）

心靈的音符

邱火榮認為，站在舞台第一線的專業表演者，無論音樂深度、詮釋都得是一流，好比運動場上的「選手」，他必得有過人之技術與能力，和退居幕後擔任訓練工作的「教練」有所區隔。而往往教練都是優秀的選手出身，即年輕時當選手，年長力衰卻歷經豐富舞台經驗時，便可能做一名好的教練。

划算時，頭頭是道。偌大的一間書房，將樂譜資料擺得井然有序，還有聘書、樂器、照片，都是他生活的重心，三十幾坪大的公寓裡，布置得古意盎然。除了書房之外，廚房是他展現另一手藝的空間，他經常上、下五樓公寓，騎著機車穿梭巷弄到市場買菜，除了女兒、女婿帶著孫子來家裡吃飯外，學生也經常會來家中便飯，品嘗他的手藝。

將生活重心放在音樂上，邱火榮的生命中少了名利權勢的競逐，卻反而自在逍遙。說他跑江湖，難道沒有夢？他經常半玩笑半認真的說著：「有朝一日我中了樂透頭彩，要買塊地蓋一棟大樓做北管文化基金會，有演藝廳、錄音間、排練室、圖書室等。」他還說希望將父親和自己的手抄本及樂譜資料，都奉獻給基金會，屆時女兒及學生都可以專心在基金會做研究及整理……，當他說得眉飛色舞之時，家人就會冷眼看著他說：「中了嗎？講的跟真的似的！」這時連他自己也會忍不住笑了起來。

◀ 邱火榮有十個孫子，每回見到孫子都要問：「有考一百分嗎？還是前三名？立刻發一百元獎金。」

北管藝術大師

吹拉彈打樣樣精

「每一時代皆有不同風光，每一藝術場域也皆有獨領風騷的藝術家。無疑地，在北管藝術的領域中，邱火榮是其中的引領者、創造者、總結者。」

——「采風樂坊」團長黃正銘

中國戲曲舞台向來出「角兒」，所謂的「演員劇場」，在在呈現了「戲以人揚」的特質。今日流傳京劇四大名生、名旦的藝事，都足以說明名角對一場演出，甚至是整個劇種的影響力。隨著戲曲發展與美學認知的轉變，人們逐漸開始注意到戲曲演出的幕後演奏者，不論是鼓佬或琴師，經由他們成功的烘托幫襯，才使得演員有

◀ 邱火榮珍惜他參與的每一次劇場演出，圖為他珍藏的台北市傳統藝術季的演出海報。

淋漓盡致的演出。在台灣，因幕後的造詣及成就而成為幕前人物的，京劇可推侯佑宗，北管則非邱火榮莫屬了。

從藝近一甲子的邱火榮，歷經台灣民間各類戲曲演出，作為一位藝人或樂師，他能夠出類拔萃，成為北管藝術領域中的代表性人物，絕非「時勢造英雄」一句話可以形容。生於北管世家的邱火榮，受父母啟蒙學藝，卻不以

▲ 邱火榮（右）受邀參與香港「中國音樂節」演出時，在記者會上介紹示範北管。

家族承傳為滿足，青年時期曾向京劇名家侯佑宗學藝，也拜師於台灣管樂前輩蔡義學習西方管樂，使其得以涵融多元音樂文化養分，在北管藝術領域中青出於藍。不論是參與北管戲、布袋戲、傀儡戲、歌仔戲，不管是武場、文場，他都極其稱職且出色，用北管圈內形容吹拉彈打無一不精的「八隻交椅坐透透」來形容他最是貼切不過了。

然而，他的音樂成就又不侷限於舞台，在教學薪傳的貢獻以及晚近著手整理重建北管音樂文化資料等工作，都發揮相當大的影響力。

▲ 擔任頭手弦吹，嗩吶功夫得是一流，不只
曲牌要會得多，一些特殊音效像是馬蹄、
鳥鳴、虎聲等，還得信手拈來才行。

意的演出，深受觀眾的
喜愛。」[1]

　　從開始打鼓到打了
一手好鼓，這中間不曉
得經過多少歷練，因為
光是熟練鼓介的話，極
易流於一般子弟軒社用
以排場的打法，而缺乏
戲劇演出的臨場考驗。
一九八二年「民間劇場」
舉辦的北管藝人聯演，
最後一場《藥茶計》因
為幾位子弟先生較少參
與戲劇舞台演出，使得
演出的節奏鬆緩，在面臨時間過長不得不刪節的情況下，策畫
人及演員們公推邱火榮中途接手，以解決劇團的窘境。

　　坐鼓佬位子數十年，邱火榮自喻那是和前場演師鬥智（法）
的角色，前場強、後場弱的結果是演出「綁手綁腳」，前場
弱、後場強則可以「虛張聲勢」，唯有前後場高手過招，鬥得
旗鼓相當不分軒輊，那才精彩，也是觀眾之福。邱火榮和許王
合作多年，許王曾說過這樣的一句話：「阿榮好親像我腹肚內
的蛔蟲。」意即邱火榮完全預知演師下一步的動作及想法，能
洞悉一切，又有好的演奏功力搭配，的確是造就成功演出的先

註1：林明德，《阮註定
　　　是搬戲的命》，台
　　　北，時報出版，
　　　2003年，頁92。

靈感的律動

決條件。

　　放眼台灣戲曲界，能打鼓者為數不少，但若為打鼓分成四等：依序是「戲不好、手不好」；其次是「戲不好、手好」；再上一等是「戲好、手不好」；而最高一等的則是達到「戲好、手好」的境界。鼓佬的第一要務就是襯托整齣戲，戲打得不好，縱使工於技巧、速度，還是無法造就成功的演出。反之，戲打得好，即使鼓佬年老或體力因素而手上表現較力不從心時，仍然可以成就一場好的演出。真正要達到「戲好、手好」的境界，最年輕也要四十歲左右，達到顛峰則在五十歲左右。

　　北管在台灣十分普遍，除了北管戲之外，布袋戲、傀儡戲、歌仔戲等都廣泛加以運用，但能將北管鑼鼓提升到藝術層次而引起眾人重視，邱火榮可說是關鍵人物，旅美學者李炳慧曾說，邱火榮是讓她第一次領略到北管司鼓藝術的藝人。藉由

◀ 擔任布袋戲後場司鼓，邱火榮總是專注台前演師的一舉一動，務求發揮七分後場的效果。

一九八〇年代末期，李炳慧等學者研究陸續發表，加上「西田社」、台大「北管社」推動學習北管，使得邱火榮的鼓藝從行內的口碑逐漸擴及學界，有關北管的研究不再囿於人類學或戲曲唱腔音樂研究，陸續出現蔡振家《台灣亂彈戲西路鑼鼓戲劇運用》（1997年作）、吳慧甄《台灣北管藝師邱火榮先生福路派鑼鼓樂之收集整理》（1999年作）等，以北管鑼鼓為論題的碩士論文，這種現象都與邱火榮有直接的關係。

邱火榮的入室弟子林永志跨足「亦宛然掌中劇團」、「河洛歌子戲團」、「亂彈嬌北管劇團」三個重要劇團，林永志說，同一鼓介，每個鼓佬打出來的尺寸、力度、音色變化都不同，而鼓佬最重要也是最難達到的，就是打到可以區分角色及不同的情緒變化。林永志認為，放眼台灣本土劇壇，鼓藝能達到「戲好、手好」境界的，只有邱火榮一人。

【琴隨人聲完美結合】

邱火榮的才藝並不侷限於鼓佬這個角色，在參與布袋戲、傀儡戲、歌仔戲、亂彈戲等各類劇種演出中，他的弦吹藝術及地位也是令人稱道的。李天祿細數「亦宛然」創團以來的後場樂師當中，邱火榮正是劇團歷任的第三位頭手弦吹，連李天祿本人都說過，很多後場樂師不太敢待「亦宛然」，因為沒有真工夫是混不下去的！弦吹包含了拉弦及鼓吹兩項，不僅是演奏技巧的考驗，更是樂師唱腔及曲牌飽學與否的大考驗，邱火榮能橫跨京劇、北管、歌仔三種不同的戲曲音樂系統，坐穩頭手

▲ 邱火榮夫婦與布袋戲界有深厚的淵源，合作過的藝人相當多，在參與王炎告別
式後，他們與黃海岱、鍾任壁（右二、右一）等寒喧合影。（林國彰／攝影）

弦吹位子而游刃有餘，台灣是很難找到第二人了。

　　以北管戲曲屬多聲腔系統最是複雜為例，光是古路與西路
兩大系統的戲齣與曲牌數量就十分驚人，不同戲齣又各有其固
定的唱腔及曲牌，不能亂套，不像歌仔戲、布袋戲沒有固定的
詮釋模式，所以沒有真本事根本無法應付這麼多齣戲碼。每一
場北管戲演出，只要邱火榮坐頭手弦位子，演員在唱功上必有
好的表現，因為他充分掌握所要詮釋的唱腔特色，不但伴奏板
眼分明，懂得巧妙幫襯唱者的行腔轉韻，加上他熟悉武場鑼鼓
及運作，在打、唱之間形成一巧妙的橋樑。

　　在邱火榮的拉弦藝術中，古路部分，一般認為他的〈緊中
慢〉板式的拉奏最具特色。〈緊中慢〉為「緊打慢唱」的板

▲ 走出幕後，邱火榮已逐漸適應面對觀眾或鏡頭，說著說著，普通話也講得溜多了。

式，爲一散板唱腔的無眼伴奏型態，其伴奏十分靈活，在唱腔部分主要是跟隨唱者的散板唱腔伴奏，但在過門或小拉的地方則又須在板的拍點上演奏，使打、拉、唱三者呈現若即若離的關係，如此獨具風格的板式，隨著不同戲齣、角色、情緒，又有不同的表現及唱法，伴奏自然也不相同，唯有好的琴師才能充分體會與呈現出如此細微的變化。

　　曾跟隨邱火榮擔任北管伴奏的胡琴藝術家黃正銘形容，戲曲伴奏是現階段胡琴音樂演奏家們最缺乏的修養，邱火榮強調琴隨人聲，既烘托又獨立，不自外於演唱者卻又能彰顯樂器演奏的特點，如此才能眞正達到戲曲伴奏中，人聲與樂器完美結合的境界。黃正銘也強調，俐落的「手路」是他演奏時強調的功力，若只有觀點、風格，而無俐落的「手路」，對音樂演奏者而言，不外緣木求魚。傳統老藝人的藝術觀點及經驗，皆足以讓後學者學習、探索，可惜的是，他們手上的功夫往往是最弱的一環，但邱火榮例外，這點是他在眾多藝人當中相當特出

的部分。

　　謝瓊崎多次擔任邱火榮的下屬樂器，她說，每一次合作總讓她讚嘆不已而忘情其中。即使是排場式的錄音演出，沒有舞台動作與神情來帶動情緒，邱火榮一樣能突破單一線條的音樂表現方式，充分掌握演員情緒的轉折，並營造整體的空間感，彷彿將栩栩如生的立體舞台重現在眼前，她表示，若不是長時間處於戲劇演出中，是無法擁有這方面的體認的。

　　另外，謝瓊崎還指出，「邱火榮老師的即興演奏更是堪稱一絕。在傳統戲曲中，演唱者的音符並非絕對或機械式的，演員會依據本身嗓音條件及角色扮演做不同的詮釋，所以樂師也不會拘泥成規，而是以即興的手段，塑造出不同的個性。即興是一種藝術，亦是一種境界，除了需要相當的天份，也要具備

▲ 邱火榮、潘玉嬌夫婦所指導的板橋「潮和社」上演子弟戲，京劇藝術家李寶春（中）也前來打氣。

一定程度的基本功，邱老師在多年的演奏生涯中，不斷的累積經驗，使他在詮釋不同角色或情緒時，能自由拉奏出符合該情境的音響。」[2]

　　邱火榮在國內創下一項罕見的記錄，在他近五十年的職業舞台生涯中，光是頭手弦吹就跨了布袋戲、北管戲、歌仔戲三個劇種，其中他於一九七〇年代到一九八八年，近二十年搭歌仔戲班期間，和歌仔戲藝人「黑貓雲」的合作，迄今仍讓後輩津津樂道。擔任歌仔戲後場伴奏的莊家煜，透過「黑貓雲」女兒許亞芬的介紹，在「黑貓雲」去世之前有過一段時日的接觸與交往，有一回「黑貓雲」母女飆歌，就在母女你來我往的都馬曲調中，「黑貓雲」提起邱火榮，她以「阮愛人」來形容一個和她在舞台上默契十足，瞭解彼此行腔轉韻及「氣口」的合作伙伴，從她即興編唱的內容及曲韻中得知，這位以唱工在歌仔戲界享負盛名的唱將藝人，是如此欣賞且珍惜和邱火榮同台的緣分，兩人互稱「愛人」的舉動，更是帶有古代英雄惜英雄的豪氣。

　　「汐止立鎮」期間曾加入台北民族樂團的莊家煜，提及他第一次與邱老師同台合作的第一印象：「邱老師的戲曲音樂神出鬼沒，演來既輕鬆自在又自信，可以說深深影響我日後對戲曲音樂的執著與喜愛、演奏與研究。邱老師是國寶中的國寶，大師中的大師。」

　　名角得力於名琴師的烘襯、雕琢，尤其是板腔體的戲曲唱腔，伶人往往自成風格、流派，這時琴師的角色及獨特性益顯

註2：謝瓊崎，〈八隻交椅坐透透〉，《傳統藝術》，35期，國立傳統藝術中心，2003年10月，頁32-33。

重要，像京劇旦角的梅派、程派、張派唱腔，老生的言派、馬派、楊派等，皆各具特色，加上演員的個別差異，若非精研唱腔、伴奏，且與伶人默契十足的琴師，是無法令演員唱得酣暢淋漓更上層樓的。在北管戲曲界享譽盛名，被稱為「亂彈嬌」的潘玉嬌，以及跨北管戲、歌仔戲、客家戲等

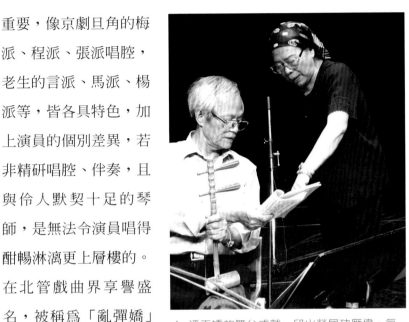

▲ 潘玉嬌的舞台成就，邱火榮居功厥偉。每一次演出，潘玉嬌都會與邱火榮討論細節。（鄭國揚／攝影）

劇種的全才藝人劉玉鶯，一為邱火榮妻子，一為其胞妹，兩人在戲曲舞台的成長歷程，都與邱火榮有密切的關係，甚至有一部分得力於他的推動。

邱火榮的妻子潘玉嬌在北管劇壇成名得早，這固然是她個人的天賦與努力，但表演更臻成熟（尤其是唱工方面），則與她嫁入邱火榮家族，前期有公婆林朝成、邱海妹指點，後期有邱火榮的教導有關。光復後依親而入班的藝人，初學時班內所有角色可以說人人都是師父，但學習的成果好壞、能不能吃這行飯，卻是誰都沒有這個責任與義務，較之日據時期綁入「囡仔班」的藝人，光復後學戲沒有那紙有形契約，也等於沒有無

▲ 邱火榮領導劇團於2000年巴黎的演出，令法國觀眾不敢置信台上花甲之年的演員竟有如此的表現。（林國彰／攝影）

形的約束及訓練的保障，因此就演變成「人人是師父，等於沒師父」的結果。為了創造學習機會，潘玉嬌拜師日據藝人吳水木學小生，在十六歲那年就開始擔任小生演出，二十一歲嫁入北管世家後，一方面在職業舞台不斷磨練，另方面有名師指點及教導，使她的戲齣更豐富更精煉。

潘玉嬌承襲工於做表的老師吳水木，在演技及身段等紮下深厚的基礎，但唱工方面則受邱海妹、邱火榮母子的影響很深。邱海妹是圈內有名的唱派老生，加上精於弦仔伴奏，平日沒戲的空閒就由她來教導潘玉嬌。從一九八〇年代起加入「新美園」的潘玉嬌，因當時藝人凋零造成角色不全的關係，六大柱幾乎無

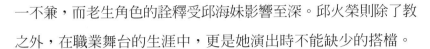

一不兼，而老生角色的詮釋受邱海妹影響至深。邱火榮則除了教之外，在職業舞台的生涯中，更是她演出時不能缺少的搭檔。

潘玉嬌的戲若是有邱火榮在後場，必有水準以上的表現。邱火榮司鼓，讓整個舞台都活了起來，工於做表的她，在許多藉著身段來交待情節或表達內心情緒的段落，鑼鼓節奏的掌控得當與否十分重要，潘玉嬌說，在舞台上的舉手投足都靠鑼鼓配合，甚至也可說是由鑼鼓來牽動，唯有邱火榮深知且掌握她的表演及每個動作，讓她演來得心應手，十分流暢。遇到不精於戲劇表演的鼓佬，潘玉嬌說，好像被綁手綁腳似的施展不開，甚至氣得想跺腳。邱火榮操琴的時候，潘玉嬌的唱腔則如行雲流水般地輕鬆且自由，尤其是緊打慢唱如「緊中慢」，邱火榮的伴奏給了她靈活行腔的空間，使她得以唱出個人風格，因此，邱火榮可說是潘玉嬌活躍在北管戲曲舞台的幕後推手。

不僅是潘玉嬌，邱火榮的胞妹劉玉鶯也是如此。劉玉鶯和潘玉嬌同在光復後入班學戲，嫁給四平戲「小榮鳳」班主陳冉順之子陳玉平後，因四平戲沒落，一九六〇年代起夫唱婦隨進入歌仔戲班，而脫離亂彈舞台三十年之久，直到邱火榮、潘玉嬌自組劇團，她才在兄長的號召下重回北管舞台，因緣際會的跟隨邱火榮學習更多的戲齣，因此她常對同行說，「我的北管都是阮阿兄教出來的。」

【靈活吹奏收放自如】

曾經有記者問邱火榮：「你最擅長哪一種樂器？」，他一

靈感的律動

時說不上來，想想之後勉強回答：「差不多」，的確，這是個連他都沒有答案的問題。在他的職業舞台生涯中，彈奏樂器是很自然的事，北管武場的運作屬於群體性互動，是北鼓、堂鼓、小鑼、大鑼、大抄、手抄等各類樂器集體的表現，能司鼓操控全場者，任何一項樂器都能上手，且能很自然地彼此配合；文場部分，從童年隨母親學殼仔弦（椰胡）開始，又陸續深入學習吊規仔（京胡）、月琴、三弦、嗩吶、管子、笛簫等樂器，台灣戲曲後場的每個位子他都坐過，因此頭手鼓、頭手弦吹孰高孰低，那絕對是不分軒輊的。

邱火榮的「吹」亦堪稱一絕。十九歲加入李天祿的「亦宛然掌中劇團」擔任二手吹的邱火榮，二十出頭升任頭手吹，即李天祿口中所謂的「正吹」，是歷任「亦宛然」的頭手弦吹當中最年輕的一位。歷經數十年的舞台磨練，邱火榮的嗩吶在民間甚至國樂圈都有口皆碑，即使是花甲之年的吹奏，也依然韻味十足。曾受邱火榮指導的實驗國樂團嗩吶演奏員林子由形容：「邱老師的嗩吶吹奏非常嘹亮、靈活且自由，很有生命力，連要為他聽寫記譜都十分困難，而加上北管嗩吶樂器本身高音音準較難控制，全靠耳朵聽力，可以說邱老師的嗩吶功夫沒話講，是當今北管樂界的典範。」

從一九八二年參與「民間劇場」北管藝人聯演以來，有鑑於專業後場樂師凋零，人才不足，為了演出的整體效果考量，邱火榮在後場的角色相當有彈性，有頭手弦吹，他就打鼓，有好的鼓佬，他會自動擔任頭手弦吹，甚至擔任月琴手，從以下

▲ 法國巴黎「世界文化館」2000年「意象音樂節」專刊。

Beiguan
Musiques et chants de la Chine du Nord

Avec
l'Ensemble de Beiguan
Luan-Dan-Jiao de Taiwan,
en collaboration avec le Centre
Culturel et d'Information de Taipei.

Musique instrumentale et opéra, le *Beiguan* est né au Nord de la Chine au XVIIIᵉ siècle. Son nom signifie littéralement "hautbois du nord". Ce style martial approprié aux opéras héroïques fut introduit à Taiwan au début du XXᵉ siècle et devint rapidement très populaire. Jusque dans les années cinquante, l'île de Formose comptait plus d'un millier de troupes de *Beiguan* qui se produisaient aussi bien en plein air que dans des temples. Construit autour d'un groupe de percussions, l'ensemble de *Beiguan* fait intervenir, selon les scènes qu'il doit accompagner, un hautbois *suona* aux sonorités stridentes ou au contraire des flûtes traversières et des vièles.

Malgré la pugnacité de quelques musiciens vieillissants conservant contre vents et marées cette tradition, le *Beiguan* est tombé en désuétude. Heureusement, l'*Ensemble de Beiguan Luan-Dan-Jiao* prend la relève pour retrouver l'élan des années passées. La volonté des fondateurs de cette troupe, Chiu Huo-Rong et son épouse Pan Yu-Jiao, est de renouveler le genre sans perdre l'esprit altier et dynamique des origines.

Maison des Cultures du Monde
du 9 au 11 mai

▲ 法國巴黎「世界文化館」2000年的演出專刊中，有關邱火榮及北管演出的法文介紹。

媒體的報導，可以看出他不論坐鼓佬位子抑或擔任頭手弦吹，都極為稱職出色。

「為了這次演出，『新美園』特別從全省各地調集許多後場高手，特別是司鼓邱火榮是位十分位優異的北管樂師，他的加入，使得武場生色不少。」　　　　　　——《民生報》

「昨天後場邀得國內最好的北管樂師之一的邱火榮，擔任文場領導。邱火榮司胡琴，收煞奔放之間，功力令人激賞。」　　　　　　　　　　——《民生報》

邱火榮歷經職業亂彈班、「亦宛然」及「小西園」掌中劇團到歌仔戲班頭手，不僅親身參與台灣半個世紀以來的戲曲活動，他個人更創下國內少見能活躍於北管、歌仔、布袋戲等舞台的全方位專業樂師的記錄。

在北管戲曲由盛轉衰的發展過程中，他一直扮演不可或缺的重要角色，從一九八二年的「民間劇場」全省藝人聯演、一九八九年國家戲劇院「新美園」演出、一九九○年及一九九一年「亂彈嬌北管劇團」文藝季公演與巡迴、一九九四年「亂彈嬌北管劇團」國家劇院演出，到官方一系列的保存計畫：文建會「亂彈藝人技藝保存計畫」錄影演出，彰化縣文化局《內行與子弟——林阿春與賴木松的北管亂彈藝術世界》錄音演出等，北管戲最後幾年的雪泥鴻爪，都是在他的後場帶領下才得以呈現，因此，我們可以這麼說，沒有邱火榮，台灣將難以重現精緻的北管戲。

傳藝說樂貢獻多

【北管藝術扎根學院】

回顧中國戲曲發展史，有不少名角、鼓佬或琴師在菊壇擁有崇高的地位，他們終其一生在舞台得到無上的榮耀與成就，但未必在傳藝方面有所著力或有具體成果，有的角兒是祖師爺賞飯吃，一開口唱就滿堂彩，但他們未必會教能教，因此戲好又教得好的人，可真是千載難逢的稀世珍寶，而邱火榮就是這麼一位台灣本土戲曲的瑰寶。他在教學上的成就與影響力少有人能及，不管是從民間到學院、從士農工商到職業表演團隊，或從北管到國樂，其層面之廣泛深遠，幾乎每個領域都可見其教學的口碑及影響力。

從十七歲受聘指導北管子弟「金海利」開始，邱火榮指導過無數的北管軒社，每次到不同的曲館，經過他悉心的調教之後，總會給新學子弟一新耳目的收穫，有的子弟或因資質或指導先生教學技巧等因素，總是無法提振學習興趣，經他教導之後皆大有改觀，不但學會戲齣，還能積極參與子弟戲演出。

邱火榮指導北管子弟，除因材施教之外，還相當注意學習者的感受，務求學習過程愉快。他先後指導過的子弟軒社北部有「金海利」、「清樂軒」、「潮和社」、「南義社」、「保安社」等，中部有「文樂軒」、「同樂軒」等，熱鬧演出之餘，邱火

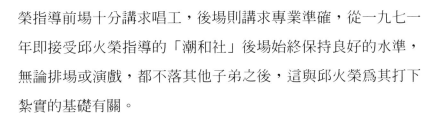
榮指導前場十分講求唱工，後場則講求專業準確，從一九七一
年即接受邱火榮指導的「潮和社」後場始終保持良好的水準，
無論排場或演戲，都不落其他子弟之後，這與邱火榮為其打下
紮實的基礎有關。

　　邱火榮參與的北管傳藝並不限北管子弟軒社，一九九○年
應復興電台之邀主持北管空中教學，他還自編教材以傳播方式
為聽眾做深入淺出的教學示範；此外他自一九八八年起開始大
量投入學校的北管教學，從國小、國中到大學北管社團，他幾
乎都親身參與，對於有心投入北管專業的大學音樂科系學生及
專業樂團演奏者更是悉心指導，期望能竭盡所能將所學傳授給
學生。

　　邱火榮指導的學校包括：台灣戲曲專科學校、台灣藝術學

▲ 邱火榮教出一批年輕美麗的後場尖兵，不但書讀得好，跟隨老師經歷許多大小場
　 演出，都相當有潛力。（林國彰／攝影）

國立藝術學院傳統音樂系88級畢業紀念

▲ 邱火榮（前排右五）從傳統音樂系創系應聘迄今，已教導出不少優秀的學生。

院國樂系，而隨著本土文化意識的覺醒與抬頭，以及一些學者的研究成果，不斷喚醒政府重視北管的價值，一九九五年國立藝術學院（現改制為「台北藝術大學」）首創傳統音樂系南北管主修，有別於中國音樂系的教學走向，傳統音樂系企圖將民間音樂的精髓導入於學院，使其自成一格，自創系以來，邱火榮即應聘兼任，從「副教授級」技術教師升到「教授級」技術教師，除了專業因素外，還有他對教學的用心與積極態度。

　　指導傳統音樂系近十年，邱火榮雖不是專任，但他所兼任的時數卻不亞於專任，每一學期至少十節以上的課程，教主修嗩吶、弦仔以及牌子、唱腔、扮仙戲等，加上音樂系及其他學

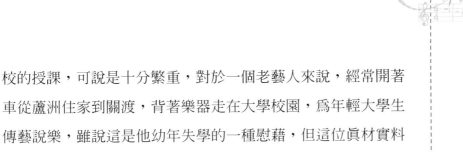

校的授課，可說是十分繁重，對於一個老藝人來說，經常開著車從蘆洲住家到關渡，背著樂器走在大學校園，為年輕大學生傳藝說樂，雖說這是他幼年失學的一種慰藉，但這位真材實料的北管大師卻僅是一名「兼任技術教師」而無法擔任北管科系的專任教師，真是令人費解的學校制度。

　　邱火榮指導傳統音樂系學生，除了毫不保留的提供所知所學，將學生視為自己孩子般教導外，更不時鼓勵他們攻讀研究所，持續追隨他投入後場專業的學生們幾乎都考取研究所，取得學位之後，不管是加入學術研究的行列，或在各地文化機構為傳統戲曲努力，都可見到邱火榮為他們紮下的根基。

　　在台灣民間樂師中，邱火榮是少見能跳脫既有框架，創造屬於自己藝術風格的一位，除了兼具風格、觀點、手路之外，他廣博的音樂視野及藝術天分，更將北管藝術落實於學院教學當中。當前國內中、青輩傑出後場樂師如王清松、鄭榮興、林永志等人，無一不受他薰陶而更上層樓。面對優異的學生，邱火榮不惜退居二線，讓學生擔任頭手，而自己擔任月琴、笛子或其他樂器，讓學生有更多獨當一面的磨

▶ 邱火榮指導弟子林永志，連細節都不放過，務求打得好、戲好演的層次。（林國彰／攝影）

▲ 邱火榮為學生上課時，豐富的舞台經驗與視野是他教學最雄厚本錢。

練機會，如此殷切提拔後進的精神，是傳統戲曲中難得一見的。

邱火榮的教學生涯中，除了學校、社會北管教育之外，在專業表演團隊的教學領域亦是有口皆碑。邱火榮從一九九三年起陸續指導專業樂團，如「采風樂坊」、國立實驗國樂團等，這些團隊都是國內頂尖的團隊，而團員更是音樂科班出身的優異人才，具有相當的演奏水平，隨著邱火榮學習北管音樂，同時追根溯源的體認、瞭解與研習本土民間音樂文化的過程裡，邱火榮其人其樂，都讓這些專業演奏家心生崇敬。

「采風樂坊」音樂總監吳宗憲認為，邱火榮既精於傳統工尺譜又熟捻數字譜，對西式的五線譜亦多所鑽研，從北管戲曲旁及京劇與其他戲劇，豐富的舞台經驗使他能內化而自成體系，這樣的人，在國內找不出第二個！在傳承的過程中，他與學習者之間溝通無礙，甚至讓學生得以觸類旁通，這是老一輩藝人中不可能見到的。

由於「采風樂坊」的經驗，國立實驗國樂團自一九九五年起，陸續邀請邱火榮擔任駐團北管指導，一開始樂團團員接到

樂譜時，許多人並不抱多大期望，他們對一般傳統藝人的普遍印象是——「只有聲音」，這觀點直到邱火榮出現才改變了，嗩吶演奏員崔洲順形容，邱老師吹奏的音樂有樂句、有段落、有重音等，和過去藝人給學生的印象大不相同，他有系統的教學使團員很快可以掌握入門時練習的《風入松》加《急三槍》，師生之間完全沒有隔閡。

　　邱火榮與國立實驗國樂團團員的互動過程可以用「教學相長」來形容，幾位專業的嗩吶團員還試著以國樂的嗩片與嗩吶樂器吹奏《風入松》，如此一來就能很清楚地感受到北管使用的嗩子和國樂嗩子的差異，北管的嗩子較厚、含水分較高，不能振動很快，較不易吹奏較高的音域。另一方面，國樂嗩子拿來吹北管時，就顯得聲音放不開，音色不夠寬厚，如此的切磋交流經驗十分寶貴。

▲ 邱火榮調教的女弟子，隨著大師征戰無數大小演出，培養出如父女般的情感。

邱火榮在指導國立實驗國樂團演奏時，打鑼鼓示範之後再吹奏牌子，雖說六、七十歲吹嗩吶較吃力，但聲音依然宏亮、結實，令團員佩服。他與實驗國樂團的合作時間雖不很長，但對北管的推廣與發揚卻發揮潛移默化的影響，除了讓團員直接深入北管戲曲音樂之外，其間由邱火榮傳譜、樂團委託吳宗憲配器的北管《倒頭風入松》，還被列入民國九十一學年音樂比賽全區曲目和民國九十二學年省賽「絲竹室內樂」指定曲目之一，相較於往昔幾乎是大陸曲目的情況，北管樂曲能逐漸被國樂界重視，和邱火榮其人其藝都有絕大的關係。

　　六十歲之後的邱火榮，幾乎和北管畫上等號，不僅「采風樂坊」、國立實驗國樂團團員都與他結緣，台北市立國樂團的團員李慧、王姮云，及「朱宗慶打擊樂團」的團員吳慧甄等，都接受過他的指導；這些科班出身的專業演奏家，和邱火榮亦師亦友的學習過程，都成為他們音樂生涯中的一段深刻記憶。

　　吳宗憲認為，幾乎不可能出現第二位像邱老師這樣，在鑼鼓、嗩吶、弦仔等有如此全面且洗鍊功夫的人，他的一舉一動甚至整個生活都已經和音樂結合，和他一

◀ 邱火榮指導彰化縣北管實驗樂團演出，務求將經驗以實際演出傳給學生。（彰化縣文化局提供）

▲ 邱火榮（中排左二）指導的彰化縣北管實驗樂團，已有多次成果發表，難得他親自上陣指揮。（彰化縣文化局提供）

起做音樂，所學已超乎單一的面相，而能學得各式表演型態的精髓，受益匪淺。

　　邱火榮從二○○○年受聘指導彰化縣「北管實驗樂團」開始，每週往返台北彰化，其辛勞不在話下。甫到彰化任教之初，當地子弟及子弟先生還為彰化縣文化局捨近求遠聘任外地老師而頗不以為然，但邱火榮並沒有把這些「雜音」放在心上，不到一年的時間，他的藝術功力、內涵及教學的專業、態度，折服了這些甄選出的團員，甚至連當地的子弟先生也來聽他授課。

　　樂團團員都察覺到，邱老師的藝術造詣及格局不僅僅只是一位傳統的子弟先生而已，能親炙大師並接受其教導，實在是機會難得。雖然奔波於台北、彰化兩地的教學令邱火榮十分疲累，但每每看到樂團團員如此積極爭取他前往教學，基於薪傳的使命，便一年又一年的接下了彰化縣文化局的聘書。

重建北管史料

【讓傳統活出新生命】

　　邱火榮三十六歲那年，父親林朝成病逝，留下畢生所抄寫的一批北管手抄本，繼承這批手抄本的邱火榮投入自己的心血，持續整理出另一批手抄劇本與曲譜，這個經驗讓他深刻的體會到，像父親這樣一生投入北管戲曲的專業樂師，竟然沒有任何文獻記錄，就連有聲資料也付之闕如。如此的遺憾，加上近一、二十年國內的北管音樂研究的成果相當有限，促使邱火榮積極投入北管整理工作，重建台灣北管音樂的資料庫。

　　這項艱鉅的工程，直至晚近才見其成果，和北管研究的客觀條件有關；台灣的北管，在承傳大陸聲腔戲曲與音樂的背景下，其聲腔系統繁雜，演出形式多元，要釐清其脈絡相當不易，研究者若非投注相當長久的時間，熟稔其唱腔及音樂，往往只得皮毛印象，加上既有文獻中有關北管、亂彈諸名詞使用相當混亂，造成符號意義的混淆不清。若觀台灣當代的北管研究，出自文史、人類學等專業的較諸音樂研究的數量為少，但究其研究的熱誠、深度、專業等更為有成。

　　台灣北管音樂的研究，近十年有顯著的成長，但戲曲學者周純一分析道，[1] 翻遍所有的北管學術文獻，方知有價值者實在不多，「大抵皆外行人的揣度探索，譯譜既不準確，分析更

註1：周純一，〈臺灣哭泣的聲腔：北管〉，《北管戲曲唱腔教學選集》序文，宜蘭，國立傳統藝術中心，2002年，頁9。

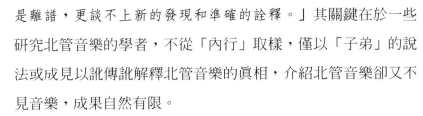

是離譜，更談不上新的發現和準確的詮釋。」其關鍵在於一些研究北管音樂的學者，不從「內行」取樣，僅以「子弟」的說法或成見以訛傳訛解釋北管音樂的真相，介紹北管音樂卻又不見音樂，成果自然有限。

北管的內涵豐富，但始終靠著口傳心述方式傳承，在職業劇班「新美園」畫上句點，[2] 宣告老藝人將凋零殆盡的現實以及「戲隨人去」的危機，使得北管戲曲資料的重建更顯急迫。

民間流傳的北管手抄本不論總綱 [3] 或弦仔譜、牌子，數量甚豐，但這些手抄本資料除了免不了的訛誤之外，未經內行人重新整理再現其意義系統，也只能說是文物資料，無法活出新生命。這種無奈與昔日手抄本被視做祕傳之寶，不輕易傳人的情況相對照，怎不令人唏噓。

▲ 邱火榮錄製北管有聲書的場景之一。他扮演了寫、教、演等角色，其辛苦一般人難以想像。（鄭國揚／攝影）

在累積豐富的舞台與教學經驗之下，邱火榮依據個人每一次帶領子弟兵演出前都會先行針對演出節目內容進行翻譜，再提供學生排練的成果與經驗，一九九九年他開始結合下一代共同擘畫北管音樂整理計畫，依照他的構想同時也考慮他個人體力的限制，先從嗩吶曲牌著手，再接著唱腔伴奏、扮仙戲、鑼鼓樂、絲竹樂、北管崑腔等，由點而線，由線而面，逐步積累出一套能呈現北管音樂風貌的大系。如此的做法，正可以彌補過去官方偏向概覽或綜論式的出版方向，導致作品內容大同小異，甚至是千篇一律，但真正深入的卻付之闕如。

終於，在文建會國立傳統藝術中心的支持下，邱火榮得以結合下一代與子弟兵以一年的時間投入牌子的整理，沒有舞台的掌聲，只有終日伏案翻譜在每一張紙上寫下一個個躍動的音符，「合、士、乙、上、乂、工、凡、六、五」以及更多的符號，邱火榮不僅要將它們寫出，還要讓更多習樂者進入它們的系統，認識這些對邱火榮有相當意義的記號與所代表的意義。邱火榮所傳譜及示範演奏的牌子包括：

▌舊 路

1. 一江風、2. 二犯、3. 大甘州、4. 大瓶爵、5. 大燈對、6. 玉芙蓉、7. 兔兒、8. 風入松加急三鎗、9. 降黃龍、10. 番竹馬。

▌新 路

1. 一江風、2. 二犯、3. 小瓶爵、4. 大甘州、5. 大瓶爵、6. 玉芙蓉、7. 兔兒、8. 風入松加急三鎗、9. 普天樂、10. 番竹馬。

▲ 邱火榮召集弟子、妻子潘玉嬌（左）與妹妹劉玉鶯一起參與戲曲錄音工作，要求嚴謹。（鄭國揚／攝影）

　　這項工程不僅打破昔日口傳心授的傳承模式，曲譜集提供工尺譜、數字譜、五線譜對照，以及錄製邱火榮示範工尺譜唸唱、嗩吶吹奏VCD及吹打樂形式的錄音CD，都企圖破除北管僅有子弟學習的侷限，拉近更多有心認識傳統音樂的廣大習樂者與欣賞者，在《北管牌子音樂曲集》發表會上，邱火榮自述，這項計畫完全可以照自己的想法來做，雖然看似自由，但反而更費心思。

　　這套影音書於二○○一年元月發表後，屢獲各方好評與鼓勵，報章形容《北管牌子音樂曲集》著眼於傳承，「以東西樂譜對照方式，提供學子鑽研台灣北管音樂的管道；為傳統音樂

教材提供了示範」；[4]「這套出版品古色古香，最特殊處是藝人親自主持，保存更具民間觀點的傳承價值。」[5]

　　面對翻譜、教材編寫以及教學錄影、錄音等龐大繁重的工作，邱火榮始終全力以赴，即使因過度勞累而舊疾復發，仍鍥而不捨地堅持要以高品質呈現；在錄音過程中，錄音工程師感受到邱火榮面對音樂的敬業與嚴謹態度，即使是排練，拿起嗩吶定是全神貫注，音無虛發，這種精神讓錄音師佩服萬分。

　　《北管牌子音樂曲集》影音書出版後，邱火榮接續面對最龐雜而艱鉅的戲曲唱腔整理工作，明知涉及唱奏是戲曲最高難度的部分，但做為台灣最傑出的北管戲後場專業樂師，邱火榮責無旁貸地挑下此一重任。二○○二年，邱火榮以一年時間投入極大的心力，為台灣北管戲曲古路、新路系統寫出不同板式唱腔，所有唱腔出自不同的行當、戲齣，先不談數字譜的譯寫未曾如此全面做過，就是工尺譜，要涵蓋唱、奏、科介等近乎總譜式的唱腔譜，在行內都十分少見。

　　台灣流傳的工尺譜以牌子（嗩吶曲牌）譜、串仔（絲竹）譜居多，唱腔譜十分少見，這是因為牌子、串仔可以單獨演奏，樂曲獨立性高，不若唱腔通常是戲齣的一部分，演員除了掌握「過門」之外，主要的重點在於熟記唱詞及情節，普遍流傳的是劇本總綱。另一方面，正因為前場演員向來只專注於自己的唱做表演，而大部分都沒有器樂底子，所以縱使滿腹唱曲，也不可能訴諸於工尺譜；「職業後場樂師雖有音樂功底，但因唱腔變化多端且牽涉到演員的表演，若非功力深厚的樂

註4：記者潘罡報導，〈傳統音樂再添三部曲〉，《中國時報文化藝術版》，2001年1月31日。

註5：記者紀慧玲報導，〈文建會請你聽正港老台灣的聲音〉，《民生報文化版》，2001年1月31日。

師，很難掌握各類唱腔，更遑論能準確運用工尺譜詳記板式、旋律、伴奏、唱詞、鼓介、口白、伴奏等。」[6]

　　邱火榮的唱腔整理保存計畫著眼於傳承，考量北管戲曲包羅萬象的聲腔面貌深受民間喜愛，然由於職業藝人凋零殆盡，業餘子弟軒社活動力不再，其獨樹一格的聲腔有失傳之虞，而近十幾年來，儘管專業現代國樂團有心投入，但大都以曲目多樣性的考慮穿插演出，因而除了投入學習的時間不足之外，在學習的方法上亦不得不以定譜視奏的方式進行，使得成效有所

▲ 邱火榮考量自己體力日衰，決定先整理示範嗩吶曲牌，示範二十套曲絲毫不輕鬆。（林國彰／攝影）

註6：邱火榮、邱婷編
　　著，《北管戲曲唱
　　腔教學選集》，宜
　　蘭，國立傳統藝術
　　中心，2002年12
　　月，頁17。

侷限，尤其是聲腔與風格掌握的部分。

　　鑑於有心學習及參與者不易掌握北管戲曲聲腔的風格，尤其是北管獨有的胡琴伴奏手法，邱火榮才抱著捨我其誰的使命感，以胡琴伴奏為主要對象，配合聲音與影像的錄製，完整記錄北管新路、古路兩大系統各種聲腔的伴奏與詮釋，以工尺譜、簡譜對照方式，詳細保存北管戲曲伴奏的指法弓法運用，提供後學者及學術研究的有力示範。

　　此計畫提供有心學習北管戲曲人士一個全面性的示範，除一冊精編唱腔曲集內含所有唱腔工尺譜、簡譜及有關說明外，四片教學光碟中提供了新路、古路所有重要聲腔的演唱伴奏示範，由藝師邱火榮、潘玉嬌擔任演唱，邱火榮示範伴奏，錄製重點也著重在藝師伴奏的指法與運弓上，讓學習者可以一目瞭然。

　　邱火榮示範傳譜的戲曲板式包括：

■**古　路**

　　一、困河東──思將「十二丈」

　　二、困河東──思將「緊中慢」

　　三、困河東──思將「哭科」

　　四、牧羊「四空門」

　　五、牧羊「緊中慢」

　　六、牧羊「疊板」

　　七、鬧西河──扯甲「平板」（半借茶點）

　　八、鬧西河──扯甲「流水」

　　九、雷神洞──「哭頭」

邱火榮 北管藝術領航者

十、　賣酒「緊中慢」「疊板」

十一、賣酒「鴛鴦板」

十二、韓信問卜「慢中緊」

十三、放關「流水」

十四、放關「平板」（小借茶、大借茶）

十五、過秦嶺「困板」

十六、打春桃「緊平板」

▲ 邱火榮為傳下北管音樂，耗費心力之多，可從他寫的工尺譜手稿看出。

十七、打春桃「春桃點」

十八、藥茶計「緊流水」

十九、藥茶計「反流水」

二十、困河東──投井「反流水」

■ 新 路

一、　三進宮「倒板」「二黃原板」

二、　三進宮「二黃緊板」

三、　三進宮「慢二黃原板」

四、　天水關「二黃原板」

五、　渭水河「二黃平」

六、　金水橋「刀子」

七、　金水橋「慢刀子」

八、　金水橋「緊西皮」

九、　三進宮「西皮原板」

十、　雷神洞「刀子」

十一、雷神洞「花腔」（老生）

十二、雷神洞「花腔」（小旦）

十三、活捉「反二黃倒板」

十四、活捉「尾聲」

十五、長板坡「婆士調」

十六、長板坡「緊婆士調」

　　所有的板式來自不同戲齣、行當，先由邱火榮的口中唱出，再行之於工尺譜上，其難度真是無法用言語來形容，光是

紙上一個點點偏了，就會造成板、眼的錯置，旋律與唱詞沒有對上，唱起來就完全不是那麼回事。一段譜例的完成，不知來來回回校對多少遍，弟子雖可協助校對，但最後還是得由他本人定稿，這樣的浩大工程實在是耗費眼力，到後來邱火榮桌上全是眼科醫師開的藥水，如此嘔心瀝血的歷程，絕不亞於小說家完成一部偉大的小說。

【珍貴的文化資產】

邱火榮在完成曲譜編寫之餘，親自操琴伴奏示範三十六段唱腔，有些人無法理解他為什麼會選擇自拉自唱的方式，而不專心伴奏，讓妻子潘玉嬌來示範所有唱腔。事實上，戲曲的演奏雖有其板式，但每個人都有其不同的詮釋與風格，即使是同一首曲調，每一回的示範也都不會完全一樣，如此一來，錄影錄音及記譜工作都會有所誤差，因此邱火榮不得不選擇自拉自唱的方式，才能確保唱與伴奏的準確度。

邱火榮還率領妻子潘玉嬌、妹妹劉玉鶯及子弟兵共同錄製三齣折子戲，包括古路《思將》、《過秦嶺》及新路《回窯》，遠遠超出委託單位國立傳統藝術中心的簽訂內容，這是因為他早已體認自己承襲的北管是整個社會的文化資產，所以他要盡其所能地流傳下來，提供後學者學習和研究。

邱火榮先後完成《北管牌子音樂選集》、《北管戲曲唱腔教學選集》兩套影音書，其傳譜著書流傳後世的精神與毅力，可說是他身為藝人的非凡成就與貢獻，也為台灣傳統戲曲音樂

▲ 邱火榮指導的台大「北管社」公演，學生們簇擁獻花。

界樹立一項典範。兩套影音專輯錄製的後場陣容十分堅強，成員包括：鄭榮興、林永志、吳宗憲、林慧寬、黃慧琥、吳威豪、謝瓊崎、陳佳雯、莊惇惠、卓宥采、王秀麗、蔡晏榕、蔡雅玲、許鈞炫、陳威璁等人，無論是邱火榮的兩大高足鄭榮興、林永志，抑或「采風樂坊」出身的吳宗憲、林慧寬，台北藝術大學的畢業生與在學學生，或台大「北管社」的弟子等，在北管戲藝人凋零殆盡，專業後場人才難濟的情況下，這一批邱火榮調教出的專業後場尖兵，充分印證其提拔後進薪傳不輟的用心與成果。

身為一位北管藝人，邱火榮在舞台表演的成就，可用「八隻交椅坐透透」來做總結；在教學薪傳方面的貢獻，學生從小學學生到博士，從戲曲到小劇場人士，業餘子弟到專業國樂人，其教學的廣度及影響力前所未見；花甲之年仍埋首著書，整理並重建北管戲曲音樂，邱火榮的藝術格局、遠見與風範，稱其為「北管藝術領域中的引領者、創造者、總結者」也當之無愧。

音樂與生命
緊密結合

邱火榮年表

年　代（虛歲）	大事紀
1934年	◎ 生於台灣省台南市。母親邱海妹為苗栗客家人，搭台南班期間生產，因非婚生，戶口父親一欄不詳，另登記時出生年誤植為1937年，比實際年晚了三年。
1937年（4歲）	◎ 中日戰爭開始，台灣的日本當局禁鼓樂，推行皇民化戲劇，許多戲曲藝人被迫休演、轉業，邱火榮因而隨母親回到苗栗鄉下相依為命，這期間由母親啟蒙學北管。
1945年（12歲）	◎ 台灣光復，傳統戲曲活動復甦，藝人紛紛重返舞台。邱火榮隨母親到苗栗搭「再復興」亂彈班。不到兩個月，邱海妹母子離開苗栗，轉搭台南亂彈班。
1947年（14歲）	◎ 追隨父親林朝成赴中部指導「永樂軒」，邊玩邊接觸北管，已學會鑼鼓、文場樂器。
1948年（15歲）	◎ 父親安排之下，加入「振樂天」布袋戲團打鑼抄。
1950年（17歲）	◎ 林朝成、邱海妹北上指導「德樂軒」，舉家北遷。 ◎ 指導「金海利」，大家稱他「囝仔仙」。
1952年（19歲）	◎ 擔任「亦宛然掌中劇團」二手弦吹。 ◎ 加入「中華票房」，先後隨侯佑宗學習京劇鑼鼓，並向小明仙、趙德厚學習京胡及文場伴奏。
1955年（22歲）	◎ 升任「亦宛然」頭手弦吹。
1956年（23歲）	◎ 農曆2月19日與亂彈小生潘玉嬌結婚。
1957年（24歲）	◎ 長子邱元春出生。
1959年（26歲）	◎ 次子邱元洁出生。 ◎ 收到兵單，離開「亦宛然掌中劇團」。 ◎ 陸軍一八三梯次赴金門服役，加入陸軍九三師康樂隊、平劇隊，並受命籌組、訓練布袋戲隊，一人身兼三個藝工隊。
1961年（28歲）	◎ 退伍。經常被徵召到各布袋戲團擔任後場。
1962年（29歲）	◎ 加入「小西園掌中劇團」。 ◎ 長女邱淑美出生。
1965年（32歲）	◎ 么女邱婷出生。 ◎ 應三重鈴鈴唱片公司邀請，邱火榮一家參與錄製一系列北管唱盤，由陳田召集，頭手鼓林朝成、堂鼓黑龍、頭手弦吹陳田、月琴邱火榮等，錄製《醉八仙連詞》、《南天門》（潘玉嬌、朱清松主唱）、《蘆花》（林朝成主唱）、《斬瓜》（潘玉嬌唱）、《回窯》與《過秦嶺》（邱海妹、潘玉嬌主唱），這是北管難得商業性大規模錄音，也是邱火榮全家動員參與的一次錄音。

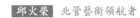
年　代（虛歲）	大事紀
1969年（36歲）	◎ 指導北投「清樂軒」北管子弟，主事者代為租下媽祖宮旁的一樓房子供邱火榮一家安頓，邱火榮夫婦開設榮興雜貨店兼賣菜賣魚。
1970年（37歲）	◎ 父親林朝成去世。
1971年（38歲）	◎ 離開「小西園掌中劇團」。 ◎ 受聘擔任板橋「潮和社」北管指導老師迄今。 ◎ 么子邱元郎出生。
1972年（39歲）	◎「清樂軒」主事者過世，退租後遷出清江路店面，結束雜貨店生意，到同區的崇仁路租屋。
1973年-1988年（40歲-55歲）	◎ 參與歌仔戲演出，陸續搭過「民安」、「明光」、「真明光」、「友聯」等不同歌仔班，長達一、二十年。
1975年（42歲）	◎ 因潘玉嬌搭台中「太豐園」亂彈班而舉家遷居台中太平，由主事者提供一傳統三合院居住，月租五百元，除邱火榮隻身在台北搭歌仔班之外，其母邱海妹、妻潘玉嬌及子女均定居台中。
1976年（43歲）	◎ 清水「同樂軒」派人來家中拜訪，應客人要求，邱火榮彈奏月琴、母親邱海妹拉椰胡，母子合作示範一段唱腔，令人讚賞，回館後「同樂軒」正式聘邱火榮赴館指導北管。
1977年（44歲）	◎ 買下太平一兩層透天厝，全家遷居於此迄今。
1982年（49歲）	◎ 10月，應邀參加文建會首辦「民間劇場——北管藝人聯演」與國內多位北管名家同台獻藝，演出《斬黃袍》、《藥茶計》、《白虎堂》，擔任頭手鼓、月琴等伴奏。
1988年（55歲）	◎ 應許王大力邀請，離開歌仔戲班加入「小西園」行列。
1989年（56歲）	◎ 1月，由中華民俗藝術基金會曾永義、林明德、莊伯和帶領，參加新加坡政府主辦的第三屆「春到河畔迎新年」活動。 ◎ 5月，檀香山華人慶祝至美開拓兩百周年紀念，赴夏威夷演出。 ◎ 5月，兩廳院「台灣民間戲曲系列」——「新福軒傀儡戲團」演出《劈山救母》，受邀擔任頭手弦吹；「新美園北管劇團」演出《南天門走雪》、《黃金臺》，受邀擔任頭手鼓、弦吹。 ◎ 6月，「小西園」首度受邀在國家劇院演出，擔任後場。 ◎ 8月，指導「優劇場」北管音樂。 ◎ 收客家子弟鄭榮興為徒。 ◎ 指導新莊國小布袋戲社後場音樂。 ◎ 9月，應公視「包羅萬象歌仔調」製作單位邀請，與多位歌仔藝人合作錄影，擔任後場伴奏。

年　代（虛歲）	大事紀
	◎ 10月，應德國波鴻偶戲協會暨法國「非歐藝術聯盟」邀請，由曾永義、彭鏡禧率領赴西德、法國巴黎、南非演出長達兩個月。 ◎ 中華民俗藝術基金會十周年酒會，邱火榮操琴，女兒邱婷演唱北管。 ◎ 12月，參加「搶救本土曲藝義演」，在台北慈聖宮演出《鬧西河》，擔任頭手鼓。 ◎ 12月，獲頒教育部「民族藝術薪傳獎個人獎」。
1990年（57歲）	◎ 4月，「西田社」與台大合辦「本土戲曲系列」在台大校門口推出多場演出，邱火榮夫婦率領所指導的板橋「潮和」演出《武家坡》、《哪吒下山》，邱火榮擔任頭手鼓。 ◎ 5月，結合妻女及藝人共組「亂彈嬌管劇團」，擔任音樂指導兼司鼓。 ◎ 任教育部「北管傳習計畫」指導教師。 ◎ 應邀在復興電台空中唱北管戲曲。 ◎ 9月，應台北縣汐止鎮長廖學廣及學者王瑞裕邀請擔任汐止「傳統藝術教學委員會」委員，開始為期四年多的藝術教學，指導北管及布袋戲後場。 ◎ 10月，參加泉州文化局主辦「泉州市第二屆世界木偶節」演出。返程，參加香港市政局主辦「第十三屆亞洲藝術節」演出。 ◎ 11月，「亂彈嬌北管劇團」在國軍文藝中心作公開售票演出，連演兩場《黃鶴樓》吸引愛好北管人士前來，廣受好評。
1991年（58歲）	◎ 3月，參加「台北市傳統藝術季——兩岸奇葩北管樂」在台北市社教館演出，演出者有邱火榮、潘玉嬌、鄭榮興、王宋來、朱清松、邱婷等。 ◎ 6月，參加文建會策畫主辦「民族藝師聯合樂展」在國軍文藝中心《潘玉嬌的亂彈戲曲唱腔》專輯發表單元擔任頭手鼓。 ◎ 文建會婚禮音樂專輯出版，其中中國傳統婚禮音樂現代國樂式——《北管式》一輯由邱火榮擔任編曲。 ◎ 12月，隨「小西園」赴紐約中華新聞文化中心「台北劇場」演出。 ◎ 參加文建會十周年慶在國家劇院「藝林丰朵」匯演，推出《羅成寫書》，演員有潘玉嬌、劉玉鶯。
1992年（59歲）	◎ 錄製文建會民族音樂系列專輯（3）——《潘玉嬌的亂彈戲曲唱腔》，擔任頭手鼓。 ◎ 參加「台北市傳統藝術季——民間流行音樂史（北管篇）」演出。 ◎ 隨「小西園」赴大陸泉州演出。 ◎ 8月，應「中華國樂團」指揮董榕森之邀，在台灣藝術教育館客席指揮北管曲目。 ◎ 8月，擔任台灣大學「歌仔戲社」後場指導老師。 ◎ 參加全國文藝季巡演，赴基隆、板橋、宜蘭、苗栗、彰化等文化中心演出《黃鶴樓》。
1993年（60歲）	◎ 2月，隨「小西園」再赴紐約「台北劇場」演出。 ◎ 4月，母親邱海妹病逝。 ◎ 6月，參加僑委會主辦巡迴美國九州、加拿大多倫多演出一個月。 ◎ 9月，指導汐止北峰國小布袋戲後場。 ◎ 10月，應香港市政局主辦，隨「亂彈嬌北管劇團」赴香港參加「中國音樂節——南管北管會知音」兩場音樂會演出。

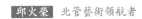

年 代（虛歲）	大事紀
	◎ 11月，隨「小西園」參加瑞典皇家偶劇院邀請赴斯德哥爾摩、哥德堡、優密爾三大城市巡迴演出。 ◎ 指導「采風樂坊」北管音樂。
1994年（61歲）	◎ 1月，台北市立美術館演出。 ◎ 2月，參加「溯自東方」訪問團，與「采風樂坊」、「華洲園皮影戲團」等赴荷蘭阿姆斯特丹、鹿特丹巡演，擔任頭手鼓。 ◎ 3月，隨「小西園」參加文建會巴黎文化新聞文化中心開幕演出。 ◎ 指導國立實驗國樂團北管音樂。 ◎ 水晶唱片出版「台灣有聲資料庫全集」，傳統戲曲篇1、2——《亂彈戲之福路唱腔曲選》壹、貳，由邱火榮司鼓。
1995年（62歲）	◎ 1月，水晶唱片出版「台灣有聲資料庫全集」，邱火榮擔任顧問一職，當中傳統戲曲篇3——《天官賜福》專輯由邱火榮擔任演唱。 ◎ 擔任台灣區地方戲劇掌中戲比賽南、北區評審委員。 ◎ 收林永志為徒。 ◎ 5月，參加白鷺鷥文教基金會策畫主辦的「台灣音樂一百年」，在台北慈聖宮演出北管之夜。 ◎ 台灣大學成立「北管社」，受邀擔任北管指導老師。 ◎ 9月，台北藝術大學（前身為國立藝術學院）創設傳統音樂系，設南、北管主修，邱火榮應聘兼任。 ◎ 10月，參與文建會「音樂中秋潤八月」演出。 ◎ 10月，應「明華園」邀請，「亂彈嬌北管劇團」參加「光復50——台灣藝術生命力」全省五十個團隊聯演，邱火榮率劇團在苗栗演出。
1996年（63歲）	◎ 3月，「西田社」戲曲工作室教授布袋戲後場音樂。 ◎ 隨「小西園」巡迴美國，並再赴紐約「台北劇場」演出。 ◎ 指導淡水「保安社」北管軒社。 ◎ 指導「江之翠實驗劇場」北管戲曲。 ◎ 擔任「鄭榮興客家戲曲學苑」北管指導老師。 ◎ 擔任「國光劇團」布袋戲研習班教師。 ◎ 5月，應「朱宗慶打擊樂團」之邀參加「1996台北國際打擊樂節」，在「台灣擊樂之美」中率領「亂彈嬌北管劇團」演奏。應邀參加「林麗珍無垢舞蹈劇場」——《醮》在國家劇院首演，在舞作中即興吹奏管子。 ◎ 8月，台北市立國樂團在國家音樂廳推出「打出台灣風」音樂會，邱火榮受邀司鼓領奏《風入松》、《新普天樂》。 ◎ 8月，應台灣藝術學院中國音樂系之聘擔任兼任老師。 ◎ 8月，受邀擔任台北市立國樂團「國樂研習營」大師班客席指導老師。 ◎ 擔任復興劇校歌仔戲科兼任教師，教授歌仔戲後場音樂。
1997年（64歲）	◎ 文建會出版民族音樂系列專輯（8）——《邱火榮的北管後場音樂》個人專輯。 ◎ 3月，隨「林麗珍無垢舞蹈劇場」赴法國奧里文化中心參加馬爾內雙年舞展演出，在《醮》舞劇中即興吹奏。

年　代（虛歲）	大事紀
	◎ 4月，參加台北市立國樂團在國家音樂廳推出的「南北拚館」，擔任開場音樂的領奏。 ◎ 4月，擔任台中縣中平國中北管社團指導老師。 ◎ 7月，文建會「台灣古典布袋戲藝術人才培訓計畫」，擔任後場藝生指導老師。 ◎ 參加文建會主辦「好戲開鑼做伙來」表演藝術團隊巡迴。 ◎ 擔任台灣省立交響樂團主辦各中小學教師傳統音樂研習講師。 ◎ 10月，應文建會、兩廳院「盛秋藝宴——新傳藝人匯演」之邀，在國家劇院先後參與「小西園」、「亂彈嬌北管劇團」演出，擔任音樂指導及後場。「亂彈嬌北管劇團」演出《出京》，由邱火榮司鼓，鄭榮興任頭手弦吹，演員包括王金鳳、潘玉嬌、劉玉鶯、彭繡靜等。 ◎ 11月，參加台中市大墩藝術季「人偶會演」，許王與潘玉嬌合演北管戲齣《天水關》，由邱火榮指揮後場。
1998年（65歲）	◎ 1月，參加澳洲坎培拉首區政府主辦「第一屆多元文化節」、雪梨與墨爾本邀請，赴澳巡演二十餘天。 ◎ 3月，應聘擔任「江之翠實驗劇場」北管指導老師。 ◎ 7月，參加法國亞維農藝術節，先後參與「小西園」、「林麗珍無垢舞蹈劇場」《醮》演出。之後，旋即赴西班牙與「小西園」會合參加「庇里牛斯山藝術節」布袋戲演出。 ◎ 擔任華岡藝校北管指導老師。
1999年（66歲）	◎ 2月，彰化縣立文化中心出版《內行與子弟——林阿春與賴木松的北管亂彈藝術世界》有聲書，受邀為專輯《渭水河》、《王英下山》、《什牌倒旗》、《內外四套》擔任頭手鼓、頭手吹。 ◎ 5月，參加「江之翠實驗劇場」在台北國立藝術教育館演出「粗獷與婉約的邂逅」南北管音樂會。 ◎ 5月，隨「小西園」參加聯合報南園舉行「國際新聞協會世界年會」，為五百餘名外賓演出北管《天水關》，擔任頭手鼓，潘玉嬌亦受邀演出孔明一角。 ◎ 6月，參加「朱宗慶打擊樂團」主辦「1999台北國際打擊樂節」，在新舞臺「台灣打擊樂之美」北管戲曲單元中司鼓領奏，潘玉嬌身段演出。 ◎ 6月，參加「江之翠實驗劇場」在新莊藝文中心、淡水龍山寺各演出一場「粗獷與婉約的邂逅」南北管音樂會。 ◎ 8月，參加「江之翠實驗劇場」在台北縣立文化中心開館演出「粗獷與婉約的邂逅」南北管音樂會。 ◎ 11月，參加「江之翠實驗劇場」在新店市立圖書館演出「粗獷與婉約的邂逅」南北管音樂會。
2000年（67歲）	◎ 1月，參加「江之翠實驗劇場」在台北縣文化局演藝廳演出「古樂與古戲之旅」南北管匯演。 ◎ 隨「小西園」赴紐約中華新聞文化中心「台北劇場」演出。 ◎ 4月，參加「新美園北管劇團」在台北藝術教育館《敲金鐘》公演，擔任頭手弦吹。 ◎ 5月，「亂彈嬌北管劇團」應文建會、法國世界文化館之邀赴巴黎參加「意象音樂節」演出三場，由許常惠領隊，參與演出者有邱火榮、潘玉嬌、劉玉鶯、王慶芳、邱婷、林永志、黃正銘、林慧寬、吳宗憲、吳威豪、黃婉如、黃慧琥、徐雅玟、莊惇惠、謝

年　代（虛歲）	大事紀
	瓊崎、卓宥采等。 ◎ 離開「小西園掌中劇團」，專心投入北管音樂資料整理工作。 ◎ 7月，參加「江之翠實驗劇場」在台北國立藝術教育館演出「古樂與古戲之旅」南北管匯演。 ◎ 編著出版《北管牌子音樂曲集》有聲書，內含曲譜一冊、教學示範VCD四片、牌子吹奏CD專輯兩片，國立傳統藝術中心委託製作、發行。 ◎ 9月，隨「江之翠實驗劇場」參加文建會主「青春藝事相招來看戲」校園巡迴，在彰化女子高中、清水高中、員林高中演出。
2001年（68歲）	◎ 參加「采風樂坊」十週年在國家音樂廳推出的慶祝音樂會，擔任北管絲竹《上四套》演奏。 ◎ 率「亂彈嬌北管劇團」在中正紀念堂廣場戶外公演兩場。 ◎ 應彰化縣文化局之聘，擔任「北管實驗樂團」駐團指導老師迄今。
2002年（69歲）	◎ 3月，次子邱元洁病逝。 ◎ 應國立實驗國樂團之邀在國家音樂廳與大陸音樂家合作演出「聽戲弄樂韻自來——II」。 ◎ 7月，參加「江之翠實驗劇場」在台中縣立文化中心演出「古樂與古戲之旅」南北管匯演。 ◎ 11月，台北市政府文化局出版《北管二三事》欣賞與教學有聲書，邀請邱火榮、潘玉嬌、劉玉鶯及子弟兵參與錄音演出。 ◎ 12月，編著出版《北管戲曲唱腔教學選集》有聲書。
2003年（70歲）	◎ 1月，為已故音樂家許常惠先生紀念碑揭碑儀式吹奏北管音樂。 ◎ 6月，參加兩廳院在國立實驗劇場推出戲曲示範講座——「鑼鼓喧天話北管」，率「亂彈嬌北管劇團」做不同器樂及戲曲演示示範。 ◎ 應新竹市城隍廟促進會之邀，指導當地子弟演出北管戲齣《長春卸甲》。 ◎ 7月，應台北市政府客委會邀請，擔任北管指導老師迄今。 ◎ 9月，與妻子潘玉嬌參加「亦宛然掌中劇團」在台北紅樓劇場《劈山救母》布袋戲擔任客席頭手弦吹。 ◎ 9月，參加「江之翠實驗劇場」在台北國立藝術教育館演出「南北管的世界」。 ◎ 10月，文建會國立傳統藝術中心主辦「亞太傳統藝術節」，在宜蘭國立傳統藝術中心戶外舞台擔任閉幕演出，以北管嗩吶即興吹奏。
2004年（71歲）	◎ 5月，與妻子潘玉嬌參加「亦宛然掌中劇團」在台北保安宮、淡水藝文中心等演出《劈山救母》，客席頭手弦吹。 ◎ 11月6日，率「亂彈嬌北管劇團」在彰化南北管戲曲館演出「回窯風華再現」。

邱火榮作品一覽表

作品名稱	演出者	出版日期	出版者	備註
北管錄音系列——《醉八仙連詞》、《南天門》、《蘆花》、《回窯》、《過秦嶺》、《雷神洞》等。	陳田召集，頭手鼓林朝成、堂鼓黑龍、頭手弦吹陳田、月琴邱火榮等。	1965年	三重鈴鈴唱片公司	＊除後場樂師均兼口白或演唱之外，唱工戲專輯還邀請名伶邱海妹、蔡和妹、潘玉嬌及子弟出身的朱清松等，此為光復以來北管一大規模的商業性錄音，產品為黑膠唱片。
婚禮音樂系列專輯（2）——台灣地方婚禮音樂——《北管式》	邱火榮編曲、召集，並擔任頭手鼓	1991年	文建會	＊CD、錄音帶。
民族音樂系列專輯（3）——《潘玉嬌的亂彈戲曲唱腔》	邱火榮擔任頭手鼓。	1992年5月	文建會	＊鄭榮興著，附CD兩張。
傳統戲曲篇1、2——《亂彈戲之福路唱腔曲選》壹、貳	邱火榮擔任顧問、頭手鼓。	1994年6月	水晶唱片	＊收錄於「台灣有聲資料庫全集」。
傳統戲曲篇3——《天官賜福》	邱火榮擔任顧問、頭手鼓，並兼演唱。	1995年1月	水晶唱片	＊收錄於「台灣有聲資料庫全集」。
民族音樂系列專輯（8）——《邱火榮的北管後場音樂》	邱火榮個人演奏專輯。	1997年8月	文建會	＊鄭榮興著，附CD兩張。
《內行與子弟——林阿春與賴木松的北管亂彈藝術世界》有聲書	邱火榮受邀擔任《渭水河》、《王英下山》、《什牌倒旗》、《內外四套》頭手鼓、頭手吹。	1999年2月	彰化縣立文化中心	＊四張CD和一冊圖書。 ＊專輯內含《渭水河》、《王英下山》、《紅娘送書》、《什牌倒旗》、《羅成寫書》、《內外四套》。
《北管牌子音樂曲集》影音書	邱火榮、鄭榮興示範吹奏。	2000年12月	國立傳統藝術中心	＊邱火榮、邱婷編著。 ＊專書一冊）、牌子錄音CD兩張、邱火榮牌子示範吹奏教學VCD四張。
《北管二三事》欣賞與教學有聲書	邱火榮、潘玉嬌、劉玉鶯及子弟兵參與有聲專輯的錄音演出。	2002年11月	台北市政府文化局	＊陳藍谷計畫主持、范揚坤作。 ＊四張CD和平裝樂譜一本。

作品名稱	演出者	出版日期	出版者	備　註
《北管戲曲唱腔教學選集》影音書	潘玉嬌、劉玉鶯演唱，邱火榮主胡並率子弟兵鄭榮興、林永志等擔任伴奏。	2002年12月	國立傳統藝術中心	＊邱火榮、邱婷編著。 ＊精裝書一冊、北管戲曲《過秦嶺》、《思將》、《回窯》CD專輯兩張、邱火榮戲曲唱腔伴奏教學示範DVD四張。

創作的軌跡

國家圖書館出版品預行編目資料

邱火榮：北管藝術領航者 / 邱婷撰文.
--初版. -- 宜蘭縣五結鄉：傳藝中心出版；
台北市：時報文化發行, 2004[民93]
面；　公分. --（台灣音樂館. 資深音樂家叢書；36）
　　ISBN 957-01-8966-5（平裝）
　　1.邱火榮 – 傳記　2.音樂家 – 台灣 – 傳記

910.9886　　　　　　　　　　　93021316

台灣音樂館　資深音樂家叢書

邱火榮——北管藝術領航者

指導：行政院文化建設委員會
著作權人：國立傳統藝術中心
發行人：柯基良
　　　　地址：宜蘭縣五結鄉五濱路二段201號
　　　　電話：（03）960-5230‧（02）2341-1200
　　　　網址：www.ncfta.gov.tw
　　　　傳真：（02）2341-5811
顧問：申學庸、金慶雲、馬水龍、莊展信
計畫主持人：林馨琴
主編：趙琴
撰文：邱婷
執行編輯：心岱、郭玢玢、蔡麗芳、何曼瑄、黃子澂
美術設計：小雨工作室
美術編輯：葉鈺貞、潘淑真
出版：時報文化出版企業股份有限公司
　　　　臺北市108和平西路三段240號4F
　　　　發行專線：（02）2306-6842
　　　　讀者免費服務專線：0800-231-705
　　　　郵撥：0103854~0時報出版公司
　　　　信箱：臺北郵政七九～九九信箱
　　　　時報悅讀網：http:// www.readingtimes.com.tw
　　　　電子郵件信箱：ctliving@readingtimes.com.tw
製版：瑞豐實業股份有限公司
印刷：詠豐彩色印刷股份有限公司
初版一刷：二○○四年十二月二十日
定價：600元

◎本書圖片來源皆由邱昭文、鄭國揚、林國彰、鄧惠恩、李銘訓提供。